EL INDIO

EL INDIO

NOVELA MEXICANA

por Gregorio López y Fuentes

EDITED WITH INTRODUCTION, NOTES, AND
VOCABULARY BY *Ernest Herman Hespelt*
NEW YORK UNIVERSITY

Illustrated by Jean Charlot

W · W · NORTON & COMPANY · INC · *New York*

PRINTED IN THE UNITED STATES OF AMERICA
FOR THE PUBLISHERS BY THE VAIL-BALLOU PRESS
123456789

CONTENTS

5

6 Contents

Tercera Parte

LIST OF ILLUSTRATIONS

7

PREFACE

INTEREST in the life and culture of Mexico has spread so rapidly in the United States during the past few years that the Editor believes that American students and teachers will be glad to have López y Fuentes's *El Indio* among the textbooks available to them. The novel presents a vivid and authentic picture of contemporary Indian life; it contains an abundance of exciting incidents; and it is written in a style which is simple and direct.

The text is based on that of the first edition (Mexico, Ediciones Botas, 1935), but it has been necessary to make many omissions in order to bring it within the scope of classroom reading. Every effort has been exerted to preserve intact the main thread of the story, all the significant episodes, and as much of the Indian lore as possible.

The General Editors wish cordially to thank Señor Gregorio López y Fuentes for his authorization to edit *El Indio* for the use of English-speaking students. The present edition will be found suitable as a reader in classes in Intermediate Spanish and in courses in Spanish-American Literature.

The Editor is indebted to the excellent translation of *El Indio* by Anita Brenner for many happily turned phrases and for some information contained in the Notes.

He wishes to express his gratitude to Professors Caroline B. Bourland and Edith F. Helman, the General Editors of

9

the Norton Spanish Series; to Professor J. R. Spell, to Mrs. Milagros de Alda Meyer, to Mrs. Annette C. Barlow, and to his wife, Miriam Van Dyck Hespelt, for their co-operation in the preparation and editing of the manuscript. Whatever merit the editing of the book may have is due in large measure to their help. For the errors which remain in it he alone is responsible.

E. H. H.

New York, N. Y.

INTRODUCTION

THE Mexican Revolution which began in 1910 has produced as profound and far-reaching changes in the literature of the country as in its political and economic life. At the beginning of the twentieth century, in the closing years of the regime of Porfirio Díaz, the favorite literary form in Mexico was the lyric poem. Eighty-five per cent of the people could not read or write. The remaining 15 per cent who composed the literate group were not only readers—they were also writers. The same people, that is to say, were both the producers and the consumers of literature. They formed a small group of intellectuals who, for political reasons, could make no use of the great themes of social and national life and so were forced to use over and over again their individual reactions to their individual personal problems as their material. It was characteristic and inevitable that a literature which grew up under such circumstances should pay an undue amount of attention to form. It was intended for an expert audience, and form, not content, was the basis on which it would be judged. Its philosophy is summed up in the line of its most brilliant exponent, Amado Nervo: "Ser dócil, ser cristalino; ésta es la ley y los profetas."

This state of affairs in the Mexican literary world has now ceased to exist. There was no place for it in the new social order ushered in by the revolution. The predominant literary genre in Mexico today is not the lyric poem, but the novel—and especially the novel of contemporary social conditions. The outstanding writers of today are no longer concerned with painstaking analyses of their own personal emotions; they are engrossed in an effort to reproduce some part of the great epic struggle of the nation. They are not interested in form or any other abstraction, but in very real social and political problems. They are not men of the study, but men of action who have observed at close hand the events and conditions which they describe. Among them there are three whose works are particularly important for an understanding of the cultural history of these times—Mariano Azuela, Martín Luis Guzmán, and Gregorio López y Fuentes.

Of the three, Gregorio López y Fuentes is the youngest and the last to win international reputation. Born November 17, 1895, on the ranch "El Mamey" in the province of Veracruz, he was at the impressionable age of fifteen when the revolution broke out and Porfirio Díaz fell, and he had intimate knowledge of the conditions from which the revolution grew. Before he was twenty he had begun to write verses and short stories which he published in *Nosotros, El Maestro,* and other periodicals. He taught school for a time, once holding the position of professor of literature at the Normal School in Mexico City. Then he gave up teaching for journalism. In the early nineteen twenties he joined the staff of *El Universal Gráfico,* a daily tabloid newspaper. Today he is its managing editor. In 1923 he inaugurated for this paper a special feature called "La novela diaria de la vida real," which consisted of a daily sketch elaborating with imaginative details and motivation some laconic news item which had appeared in a previous issue of the paper. For over a year this feature appeared regularly in the *Gráfico* signed by the pseudonym "Tulio F. Peseenz." Then the constant effort of daily preparation proved too strenuous and the work was divided with other members of the staff, but not before López y Fuentes had come to realize how well this material was suited to his talents. He found that these assembled sketches of real events presented in the helter-skelter, planless fashion of daily reports have the effect of re-creating the composite life of the common people of a great city. When he began to write his more important novels he used the technique developed in the columns of "La novela diaria" for more ambitious artistic ends. The first of his major novels, *Campamento,* was published in 1931. It has since been followed by five others: *Tierra* (1932), *Mi general* (1934), *El Indio* (1935), *Arrieros* (1937), and *Huasteca* (1939).

All six novels treat either of the revolution itself or of conditions and problems which have grown out of it. For that reason it may be well to recall briefly the principal events of the revolutionary years as a background for the understanding of his work.

Porfirio Díaz's presidency had lasted in Mexico from 1876 to 1910, with the exception of a brief interlude of four years. It had been a government of, by, and for the few. Díaz believed that the rich, wise, and able should rule. He favored, therefore, the great landholders and foreign capitalists, giving them most generously of the public domain and of those communal lands which for generations had belonged to the Indian villages. The effect of his policy was to make the rich richer and the poor poorer.

In 1910 Francisco Madero, a rich landowner with liberal leanings, dared to announce his candidacy in opposition to

Díaz. The elections were held and Díaz was overwhelmingly re-elected. But Madero was put in jail for his audacity in running for office. He was released and started to organize a revolution. It was successful. He entered Mexico City in June, 1911. Díaz had fled to Paris before his arrival. Madero was declared president, but he was too weak to hold his power. His sympathies were divided between the people of his own class and the impoverished peons to whom he had promised lands and freedom. Through his vacillating policies he lost the adherence of both groups. The great Indian leader, Emiliano Zapata, who had helped him against Díaz now turned against him and withdrew, leaving him helpless against the old military crowd, who, on February 9, 1913, brought about a successful *coup d'état* and proclaimed Victoriano Huerta head of the state. Thirteen days later Madero was murdered.

Huerta maintained himself in power until July 4, 1914, by a desperate struggle against all the forces of discontent and reform to which the Madero revolution had given cause to hope—against Zapata, the agrarian Indian leader in the south, against Venustiano Carranza, a middle-class *ranchero* who had been senator under Díaz and now rose demanding restoration of constitutional government, against Alvaro Obregón, a small farmer from Sonora who had risen to military office, and against Pancho Villa, a bandit leader of armed outlaw gangs in the north. The last three men were allies for a time, but after the resignation of Huerta their forces split. Carranza became provisional president. He issued decrees recognizing the demands of labor and the farmers, but he was still too conservative for the spirit of the country. He held office from 1914 to 1920, reluctantly yielding to the radical demands for the nationalization of mineral wealth and the redistribution of lands which his opponents pressed upon him. In 1919 Zapata, who alone of the revolutionary leaders had continued with single-minded idealism to fight without compromise for the return of the land to the Indian, was assassinated by one of Carranza's followers.

Carranza was succeeded by Obregón, who in turn was followed four years later by Plutarco Elías Calles. These two men and their successor, Lázaro Cárdenas, have spent their administrations in honest attempts to carry through the revolutionary program.

This program has four cardinal points: they concern the land, the church, the Indian, and the foreigner. The land is to be redistributed and its subsoil resources nationalized, the church made politically impotent and its schools secularized, the Indian recognized as the rightful heir to the nation's first consideration, the foreigner eliminated and his rights expropriated.

López y Fuentes is especially interested in the first and third points of this program—the land and the Indian. He believes in the restoration of the communal lands to the villages, the division of the great estates, the nationalization of the oil lands; he sees in the Indian the long-suffering victim of centuries of cruel, senseless exploitation whose strength and virtues can be saved for the nation only by understanding, education, and a decent share in the products of his labor. He is interested, too, in the way a revolution is carried on, in the type of men who make up its officers, and the rank and file of its troops, in the effect of the revolution on the daily lives of the noncombatants in its wake, in the

attempts of the common people, the peons and laborers, to
adjust their lives to the innovations which the revolution
brings.

His first major novel, *Campamento,* is, in a sense, no
novel at all, but a series of scenes and incidents occurring
during the day and night in which a band of revolutionary
soldiers is quartered in an isolated country village. It has no
hero, no villain, no consecutive narrative, no plot; its char-
acters have not even names. By this device—a device which
López y Fuentes uses through most of his subsequent works
—the reader is made aware that he is witnessing the daily
life, not of some particular general and his company, but of
the Mexican people engaged in civil war. The confusion of
the camp, the lack of discipline alternating with extreme
severity, the all-overshadowing importance of food, the con-
flicting ambitions and vanities of the officers, the helpless ac-
ceptance of the disrupted routine of their lives by the vil-
lagers, the heartless treatment of the Indian guide, whose
welfare is the sentimental excuse for the revolution and
whose sufferings in it are the greatest—these are the material of which the novel is made.

The second novel, *Tierra; la revolución agraria en México,*
does not focus its light upon so limited a canvas, but lets
it play briefly over the whole revolutionary scene through-
out the ten years from the beginning of Madero's revolt
until the assassination of Zapata. It shows how conditions
on the great estates are ripe for the outbreak of the rebellion;
how news of Madero's uprising and word of his promise of
land to the disinherited bring hope and fear to the hearts
of the peon and the Indian in the south; how these hopes
are disappointed over and over again only to be rekindled
at the magic word "Tierra!" It follows the fortunes of

Zapata and his followers, the triumphal entry of the revolutionaries into Mexico City in 1914, their return home to reap the neglected harvests, their leader's betrayal by his enemies, his assassination, and his people's superstitious faith that he must come again to lead them out of their despair.

Mi general differs from López y Fuentes's earlier novels in that it has a rudimentary plot and one central character —a nameless son of the revolution who has started life as a cow-hand, joined the ranks of the rebels, grown in power and prestige as the revolution is successful, until he reaches the rank of general in the victorious army. Then his fortunes begin to decline as rapidly as they have risen, until he becomes once more a derelict cowboy taking the train from the capital back to his home province to look for work.

López y Fuentes's next novel, *El Indio,* has been recognized as his masterpiece both at home and abroad. It was awarded the first National Prize for Literature in 1935 and in translation has found a wide reading public beyond the borders of Mexico. It presents a truthful and sympathetic picture of the unhappy heirs of the great Aztec civilization and the tremendously difficult problems involved in their assimilation into the national life of the land of their conquerors. In scenes and incidents from the life of a remote mountain village in these postrevolutionary days is epitomized the whole story of the white man's relations with the Indian from the time of the *conquistadores.* Yet López y Fuentes writes with realism, not with sentimentality, of the Indian's plight. He hopes that practical reforms in education, road-building, and agricultural methods, together with political protection against exploitation, may gradually give back to the Indian his rightful place in the economy and culture of Mexico.

The two novels which have followed *El Indio*—*Arrieros* and *Huasteca*—scarcely measure up to it in importance. *Arrieros*, by the device of following a muleteer with his pack train along the mountain trails through districts inaccessible to other forms of transportation, shows the gradual disappearance of the old ways of life before the inroads of modern civilization and the social ideas born of the revolution. It is a series of scenes and anecdotes rather than an integrated novel.

The plot of *Huasteca* in general outline is not unlike that of *Mi general*. It traces the rise and decline, not of an individual, but of a family—a country family on whose land, at the time of the World War, oil is discovered. With the royalties paid them by the foreign company to whom they lease their property, the various members of the family become for a time fabulously rich and fantastically extravagant. When the severe economic depression follows they are reduced to the most abject poverty. Unable to adjust themselves to their altered circumstances, they sink into spiritual and moral degradation. The coming of a new order is foreshadowed at the end of the story with the announcement that the government has expropriated the oil lands. The scene of the novel is the district in which López y Fuentes spent his boyhood and the character of the narrator is to some extent autobiographical.

Together the novels of López y Fuentes present an animated and absorbing panorama of the changing Mexico of the past quarter of a century. The author is not a disinterested spectator of the efforts of the country to transform itself from a feudal to a modern state. He is not only reporter; he is editor and headline writer as well. He is at times propagandist for the causes in which he believes. His sympathies are always on the side of the proletariat—of the peon and the Indian. But for an authentic introduction to life in Mexico today and a sympathetic understanding of the country's problems it would be hard to find a better guide.

BIBLIOGRAPHY

WORKS

To date the works published by López y Fuentes are:

Contributions of prose and verse to *Nosotros. Revista de arte y educación*. México, 1912–14.

Articles in *El Maestro. Revista de cultura nacional*. México, 1921–23.

Some 400 stories for the section "La novela diaria de la vida real" in *El Universal Gráfico*, México, during the years 1923–24.

And the following books:

La siringa de cristal. Versos, México, Talleres oficiales, 1914.

Claros de selva. Versos, México, América Latina, 1921.

El vagabundo. La novela semanal de "El Universal Ilustrado," México, 1922.

El alma del poblacho. Novela corta, México, 1924.

Campamento. Novela mexicana, Madrid, Espasa-Calpe, S. A., 1931.

Tierra; la revolución agraria en México. Novela, México, Talleres de El Universal. 1932. Later editions: Saez Hnos., 1933; Editorial México, 1933; [Without publisher] 1934.

Mi general. Novela mexicana, México, Ediciones Botas, 1934.

El Indio. Novela mexicana, México, Ediciones Botas, 1935; 2nd edition, 1937.

Arrieros. Novela mexicana, México, Ediciones Botas, 1937.

Huasteca. Novela mexicana, México, Ediciones Botas, 1939.

Translation:

El Indio. By Gregorio López y Fuentes. Translated by Anita
    Brenner. Illustrations by Diego Rivera. Indianapolis-New
    York, The Bobbs-Merrill Company, 1937.
    This was also published in London by Harrap under the title
    They That Reap.

BIOGRAPHY AND CRITICISM

Some of the more important articles dealing with López y
Fuentes and *El Indio* are:

Abreu Gómez, E. "Prólogo" to *Tierra.* México, D.F., Editorial
    México, 1933.
Anonymous. Review of *El Indio.* Translated by Anita Brenner.
    Booklist, 1937, XXIII, 244.
—— Review of *El Indio.* Translated by Anita Brenner. *Chicago
    Daily Tribune.* March 6, 1937.
—— Review of *El Indio.* Translated by Anita Brenner. *Pratt
    Institute Quarterly.* 1937 (Summer number).
—— Review of *El Indio.* Translated by Anita Brenner. *Spring-
    field Republican.* March 7, 1937.
—— Review of *El Indio.* Translated by Anita Brenner. London
    Times Literary Supplement. September 18, 1937.
Brun, Richard. *The Novels of Gregorio López y Fuentes.* A
    Study of Contemporary Mexico. Unpublished M.A. Disserta-
    tion, New York University, 1939.
Carrick, Lynn. "Prefatory Note" to *El Indio.* Translated by
    Anita Brenner.
Englekirk, John E. Review of *El Indio. Revista Hispánica Mo-
    derna.* 1937, III, 144–145.
G., C. Review of *El Indio.* Translated by Anita Brenner. *Boston
    Transcript.* July 17, 1937.
Goldberg, Isaac. Review of *El Indio.* Translated by Anita Bren-
    ner. *Saturday Review of Literature.* February 27, 1937.

Kazin, Alfred. Review of *El Indio*. Translated by Anita Brenner. *New York Herald Tribune Books*. February 21, 1937.

Millan, Verna Carleton. "New Books and Prizes in Mexican Letters." *The New York Times Book Review*. May 10, 1936.

Moore, Ernest. "López y Fuentes, Novelist of the Mexican Revolution." *The Spanish Review*. 1937, IV, 23–31.

——, *The Novel of the Mexican Revolution*. Unpublished M.A. Dissertation, New York University, 1937.

P., C. Review of *El Indio*. Translated by Anita Brenner. *Mexican Life*. 1937, XIII, 32.

Pereira Alves, A. Review of *El Indio* in *El Comercio,* diario de Cienfuegos, Cuba. August 18, 1936. (Reprinted in *Letras,* México, June 1, 1938.)

Poore, Charles. Review of *El Indio*. Translated by Anita Brenner. *The New York Times Book Review*. February 21, 1937.

Salazar Mallén, Rubén. Review of *El Indio* in *Atenea*. Santiago de Chile, 1936, XXXIII, 96–99.

Uribe-Echevarría, Juan. "La novela de la revolución mexicana y la novela hispano-americana actual." *Anales de la Universidad de Chile*. 1935, Año XCIII, 5–95.

Velásquez Bringas, Esperanza, y Valle, Rafael Heliodoro. *Índice de Escritores*. México, Herrero Hnos., 1928.

HISTORICAL BACKGROUND

Handman, Max. "Studies in Mexican Literature." *Texas Review,* 1921.

Herring, Hubert. *Towards an Understanding of Mexico*. [New York, The Committee on Cultural Relations with Latin America.]

Uslar Pietri, Arturo. "The Spanish American Novel Declares Its Independence." *Mexican Life,* 1939, XV, 27 and 63–64.

PRIMERA PARTE

1

ORO

LA llegada de tres hombres extraños sembró el espanto. Junto a la puerta de la primera casa de la ranchería, una mujer dejó abandonado el malacate y el algodón que hilaba. Otra, se desató de la cintura,[1] nerviosamente, los extremos del telar, y abandonando la manta que tejía huyó para el in-[5] terior de la choza, cuya puerta cerró con violencia.

Más allá, ladraron los perros. Y comenzó la estampía hacia las breñas más cercanas: muchachos casi desnudos y mujeres desmelenadas. Era la hora en que los hombres aptos se halla-ban en los trabajos.[10]

Los recién llegados avanzaron tirando por las riendas de sus caballos, a los que seguía una mula de carga[2] con dos grandes cajones a cuestas. Así habían hecho la última jor-nada, por un camino transitable apenas para la gente de a pie, en busca de la ranchería clavada en plena sierra.[3] El que[15] iba adelante,[4] al ver la huída de los naturales, se detuvo sonriendo. Y, a tiempo[5] que hacía notar a sus compañeros[6] el efecto de su presencia, se limpiaba el sudor de la frente.[7]

Un largo callejón. A los lados, las casas pajizas, pardas, ennegrecidas por el humo. Patios de tierra negra. En ellos,[20] un naranjo, un ciruelo, un cedro. Entre casa y casa, una cerca de piedra. Sobre los cercados, ropa tendida a secar. Al fondo de la ranchería, la sierra encarrujada de verdura.

Los tres hombres se miraban con gesto de compasión por los que huían. Uno de ellos dijo:[25]

—Si tuvieran [8] un buen camino, ya no estarían tan atrasa-
dos. Al menos ya se hubieran hecho al trato de los blancos.[9]

Y reanudaron la marcha, ya por el callejón. En una de
las casas donde el delantero vió que la puerta se había ce-
5 rrado por el interior y que, por lo tanto, no estaba sola,
llamó con pausados golpes. Nadie respondía. El hombre, que
era el guía de los otros, hablaba la lengua de los naturales y
recurrió a ella, dando a las palabras la mayor mansedumbre,
inspiradora de confianza.

—. . .

10 —¿Qué les dice? —preguntó al intérprete uno de sus pa-
trones.

—Les digo que me regalen [10] un poco de agua.

Y la palabra, dicha en el propio idioma, hizo que se
abriera la puerta.[11] Apareció un viejo con una jícara llena
15 de agua, en las manos. En el fondo de la pieza, la única de
la casa, estaba una mujer, de espaldas. Parapetado en las
piernas de su madre,[12] un niño asomaba media cara, entre
curioso y timorato, arriesgando tan sólo un ojo, de brillo
gatuno.

20 Los recién llegados bebieron en la misma jícara. Cuando
el guía, al regresarla, dijo, dando las gracias, *tlazo-camati,*
la cara del indígena se dulcificó aún más. Le preguntó quié-
nes eran sus amos, qué buscaban, para dónde iban y si acaso
no pertenecían a quienes en otras ocasiones les causaran [13]
25 muchos males. Y el blanco le explicó: sus amos vendían algunos artículos, tal vez del gusto de los naturales, estudiaban
la tierra y, de paso, buscaban algunas hierbas curativas.

Después, el hombre se volvió a sus amos y les explicó lo
que había hablado con el viejo. Mientras tanto, al ver que
30 éste hablaba con los desconocidos, algunos de los naturales
abrieron, aunque con sigilo, sus puertas. Otros, regresaban

ya, cautelosamente, de las breñas, a las que habían huído.
Por sobre [14] los cercados asomaba más de una cabeza: cabellos negros y untados, ojos brillantes, pómulos salientes.
Los muchachos, más audaces, se habían acercado para admirar los caballos.   5

Los visitantes tomaron asiento en una banca de madera
que había en el portalito. Fatigados y sudorosos se hacían
aire con los sombreros. Hablaban sin duda del lugar, de sus
habitantes y de su situación, pues las miradas iban por las
casas, por las sierras y en ocasiones los ademanes indicaban 10
al anciano presente y a los niños que a su vez lo veían.

El intérprete se dirigió nuevamente al viejo y le dijo si en
el rancho había algún lugar donde se alojaran [15] los viajeros. La respuesta no fué del agrado de los visitantes. El
indígena contestó que, como jamás llegaban viajeros, no 15
había hospedaje; pero si ellos deseaban quedarse en su
portal. . .

Después de unas cuantas palabras ajenas a los naturales,
fué aceptada [16] la invitación. El guía, con la ayuda del anciano, procedió a descargar los cajones. Aflojó las monturas 20
y, a tiempo que sus amos daban unos pasos por el callejón
discutiendo en voz baja y poniendo mucho interés en las
cercanas serranías, habló largamente con el viejo, a la vista
de cien ojos curiosos.

Fué a unírseles.[17]   25

—He interrogado hábilmente al viejo y dice que por aquí
no hay minas; en cuanto al escondite de polvo de oro, sos-
tiene que jamás ha oído hablar de él; y que no sabe una
palabra de los ídolos dorados.

—¡Si será usted ingenuo! [18] ¿Supone que así, de luego a 30
luego, va a decirle la verdad? Yo tengo la relación y el
plano de ese lugar, donde los naturales de aquí, hace

muchos años, escondieron el polvo de oro de los tributos.
Los de este lugar recibían las contribuciones de cien pueblos:
¡polvo de oro en cañones de pluma! ¡Oro! ¡Oro! ¿Y de
dónde lo tomaban? De unas minas que hay en estas sierras.
5 ¡Yo tengo el plano!

El intérprete, a pesar del entusiasmo de su amo, se atrevió
a refutar:

—El viejo dice que la tribu no tiene muchos años aquí.[19]
Sus abuelos, que eran muy poderosos, vivieron en el valle,
10 donde señorearon a otros pueblos. Huyendo de los blancos,
que los perseguían, dejaron las tierras buenas de los valles
por éstas que, aunque ingratas, les ofrecen más protección.

—¿Y qué importa?

—Digo, señor, que si los antepasados, los que fueron po-
15 derosos, tenían su asiento en el valle, es allá donde habrá
que buscar las riquezas escondidas.

—¡Buscaremos aquí y en el valle! Lo importante[20] es
que ya estamos en el sitio que señala el mapa. ¡Y si el plano
fracasa, haremos hablar a estas esfinges[21] que guardan con
20 tanto celo su tradición! ¡Y no hay que esperar que hablen[22]
con la sonrisa en la boca, sino con el gesto del dolor! O,
acaso, ni es necesario. . . ¿Pues qué me dirán ustedes si
hoy o mañana, al comprarnos una sarta de chaquiras o un
manojo de estambre, nos pagan con cañones de plumas
25 llenos de polvo de oro?

* * *

Al caer la tarde, cuando los hombres regresan de sus trabajos, se encuentran con la novedad de que[23] unos blancos
han llegado a la ranchería. Van también ellos, arrastrados
por la curiosidad de los demás, hasta el portal donde los
30 mercaderes exponen sus mercaderías.

El viejo de la casa explicó a sus hermanos cómo llegaron
los extranjeros, qué era lo que deseaban y, en cuanto a lo
que vendían, ya ellos lo estaban viendo. Los puso en guardia
sobre que [24] preguntaban insistentemente por el *teocuítatl,*
el oro, a lo que él había contestado no saber nada,[25] y sobre 5
las hierbas medicinales, de lo cual los viejos todos resolve-
rían.

Ante las baratijas, eran las mujeres las más animadas. La
primera en comprar, mediante el intérprete, una sarta de
cuentas de vidrio, puso en manos del vendedor una moneda 10
que hizo a los visitantes mirarse con despechada inteligencia: era una moneda común y corriente. Tal vez otros compradores pagarían con polvo de oro o con tejos amarillos, y
siguieron atendiendo la venta. Lo que más vendían eran
cuentas y chaquiras, estambre y el *tochomite* con que las 15
mujeres de los naturales labran sus ropas de algodón y con
que se adornan la cabeza.

Los hombres se animaron cuando fué abierto [26] un largo
paquete. Eran machetes cachi-cuerno, de esos tan largos que
arrastran hasta cuando los lleva un individuo de regular 20
estatura. Muchos de los nativos compraron; pero el pago fué
en moneda de cuño corriente.

El ensayo comercial no dió el resultado preferido y, ya
sin finalidad, los artefactos fueron encajonados. Los extranjeros comentaron el fracaso. Pero les quedaban otros 25
recursos. Entre los hombres que habían regresado de sus
trabajos, hechos al trato de los blancos en el pueblo y en
las haciendas, inquirieron nuevamente sobre las minas y
los escondites de oro, inútilmente.

La acuarela del crepúsculo se opacó violentamente. La 30
sombra de los cerros llegó y, avanzando como una gran
mancha, fué a tapar también el valle.

Las gallinas comenzaron a buscar las ramas de los ciruelos. Los cerdos, de la más ínfima clase —largos y puntiagudos hocicos—, procuraban ya el refugio en los jaladizos de las casas y al pie de los *tecorrales*.

5 De los tres mercaderes, después de haber instalado sus cabalgaduras en una huerta, dos se habían recostado junto a los bultos de sus baratijas, meditativos o dormidos, mientras que el guía se fué por los callejones.

Y la noche se derrumbó sobre el caserío. Desapareció el 10 verde lejano de las serranías, las que se recortaban sobre el cielo. Las casas se convirtieron en pardos conos, sin más señuelo para los ojos que la luz de los fogones rayando verticalmente las junturas de las empalizadas.

Anocheceres tristes de ranchería indígena; bultos grises, 15 en cuclillas, a la puerta de las casas. Mujeres que ya vuelven del pozo, con la tinaja en la cabeza. Aplaudir sordo de las que hacen tortillas.[27] El niño, somnoliento, que llora incansable porque la madre no lo aupa. Lejos, el grito de la gallina de monte y el ladrar del perro milpero. En las go- 20 teras de las casas, el vuelo curvilíneo de los murciélagos.

El guía se detuvo en una puerta, a pedir agua. Cuando el perro, furioso, acató a su dueño y cedió el paso, mientras le servían el agua, el hombre echó un ojo al interior. En un *tlapextle* estaban tres muchachos cobrizos, durmiendo casi 25 amontonados; dos, más crecidos, lo miraban desde un rincón, con grandes ojos asombrados; junto al fogón, cenaba otro; el hombre sostenía en un brazo al penúltimo; y la mujer, para poder desempeñar su trabajo en el metate, llevaba a cuestas al más pequeño.

30 El intruso, después de beber, expresó su asombro a la vista de tanta prole. El indígena sonrió.

—Sí, muchos hijos. . .

Anocheceres tristes de ranchería indígena . . .

Como, a tiempo que se despedía, la mujer se puso de pie, la figura de ella no pudo menos que hacerle recordar el decir: "linda pollada; y, la gallina, echada. . . "[28]

Al extremo del callejón y a la puerta de una casucha, un indio viejo, teniendo entre las piernas una arpa más vieja que él, tocaba en sordina un ingenuo acorde sugerente de una danza sencilla. Adentro, sus hijos desgranaban mazorcas de maíz; y las mujeres, al parecer sin otra ocupación, molían en el metate.

Era tan acallada la música, que a unos cuantos pasos ya no se la oía. En las noches de lluvia, cuando en las charcas hacen escoleta las ranas, sin duda no podía distinguirse[29] el concierto de éstas y las notas del arpa.

En algunas casas ya se había extinguido la luz. El guía fué a unirse con sus amos.

* * *

A la luz de un ocote y de la luna, los mercaderes cenaron en el corredor. Los naturales se admiraban al ver cómo abrían pequeñas cajas metálicas de las que sacaban sus comestibles. El viejo de la casa los obsequió con tortillas calientes y con un plato de barro casi lleno de chile. En cambio, sus huéspedes le dieron unas tajadas de jamón. El anciano mostró el obsequio a su mujer y a sus hijos, pero nadie lo probó, prefiriendo el grano de sal envuelto en un pedazo de tortilla y después una mordida al picante. Dientes perfectos, por herbívoros.

Cuando los forasteros tendían sus camas en el corredor, el intérprete explicaba una vez más:

—¡Sin duda lo saben, pero es tan difícil arrancarles sus secretos! Desde niños reciben la tradición y el mandato de guardarla. Yo sé de un extranjero que quiso obtener el secreto de cómo los naturales atacan la calvicie, pues no hay indio calvo —una hierba que crece en ciertos lugares de la sierra— y el poseedor del secreto se dejó matar [30] antes que revelarlo.

—¡Veremos!

Lejos, sonaba una chirimía monótona y triste, algo así como un grillo.

2

MESTIZAJE

EN la ranchería se anuncia el amanecer con el brillo de los fogones, a través de las empalizadas de las casas. Es que las mujeres comienzan a alistar lo que será desayuno y almuerzo de sus hombres.

Encendida la lumbre, salen con la canasta del *nixtamal* puesta en una mano alzada en forma de repisa, y llevando la tinaja vacía en la cabeza. Se dirigen al manantial, que brota de las raíces de algún frondoso *jalamate*. Después de humedecerse brazos y cara, lavan el maíz cocido y llenan la olla. Mientras tanto, los hombres, todavía en medio de la penumbra, afilan el machete en las piedras de grano clavadas en la tierra del patio.

Después, ya se oye el aplaudir con que las mujeres confeccionan las tortillas. El hombre toma los primeros alimentos, sentado junto a la lumbre. Parece que rumia lentamente, sin decir palabra: es de los que se marcharán a sus propios trabajos. Los que tendrán que estar a la salida del sol en las haciendas y los que tienen algunas faenas encomendadas por la autoridad del pueblo, ésos se desayunan violentamente.

Mientras la mujer alista los alimentos del mediodía: tortillas, un picante y unos granos de sal, el hombre vuelve a afilar otra vez el machete, en la piedra clavada, como sin objeto, en el suelo.

37

En las huertas cantan, gangosos,[1] los gallos chinamperos. Poco después, por las distintas veredas, todavía entre las penumbras, parten los trabajadores, en silencio.

* * *

Las veredas se convierten en trilladeros apenas percepti-
5 bles. Son como las arterias: gruesas en su nacimiento y capilares en sus extremos.

Los indígenas se dirigen ágilmente hacia sus trabajos diarios. Unos caminan bajo el bosque y, al llegar al claro hecho durante varios días de esfuerzo con el machete y el
10 hacha, cuelgan de un arbusto orillero el morral de las provisiones, para reanudar la obra de echar por tierra el bosque. Cuando, después de algunos soles, la roza ya está bien seca, le ponen fuego. La tierra nueva y el abono de la ceniza son las mejores promesas de una buena cosecha.

15 En otros días, cuando las matas ya verdean en ondulaciones de hojas mecidas por el viento, los indígenas, agachados en mitad de los surcos, arrancan las hierbas que roban al maíz [2] el jugo de la tierra. ¡Qué fuego en las espaldas humilladas, bajo un sol enrojecido de canícula!
20 Como consuelos únicos: el vientecillo, que a ratos seca las frentes sudorosas, y el guaje del agua, diciendo quién sabe qué cosas al ser besado.

Más allá, en el ir de los días, la cosecha, cuando los naturales se organizan afanosamente para recoger con toda
25 prontitud los frutos, ante el temor de que las aguas próximas invaliden [3] los esfuerzos sufridos. Entonces hay alegría y hasta las mujeres regresan encorvadas bajo el peso de la carga y del hijo.

Los otros, los que van a jornalear en las haciendas, ésos
30 caminan mucho más, día a día. Al salir el sol, ya están a la

orilla del rastrojo o del cañaveral. Si se trata de la siembra,
entonces se escalonan como los gimnastas que van a desarrollar un evento en que urge más la precisión y el orden,
que la fuerza y el arrojo. El golpe preciso de la garrocha,
en el sitio que corresponde a la simetría del sembrado. Del 5
primero, toma la distancia el segundo; y, de éste, el tercero. . . El mismo y uniforme movimiento del brazo. El
mismo ademán para dejar caer los granos, sin que uno solo
caiga [4] afuera. Y, luego, el paso largo, que es medida y
proporción para la siguiente mata.   10

Por la tarde, como jornal, unos cuantos centavos y un
trago de aguardiente. En los días de hambre, una medida de
maíz y, si el amo es generoso, el mismo agasajo de alcohol.

Si se trata de la molienda, el peón se presenta armado de
un corto machete, preferentemente el que tiene un gancho 15
en la punta y que ellos llaman *huíngaro,* porque suple a la
mano y guarda a ésta de la mordida de la víbora en los
sitios más cerrados de hojarasca.

Estos peones se contratan por semanas. De domingo a
domingo, esto es [5] cortar y meter caña al trapiche, atizar el 20
horno, cuidar que la miel hirviendo no llegue a los bordes
del cazo, dar de comer a los animales de trabajo y envolver
piloncillo. Antes del amanecer, a pegar [6] las yuntas al trapiche. Después de haber anochecido, todavía de regreso [7] del
aguaje, con los bueyes.   25

Y al final de la semana, una liquidación que no alcanza
ni para la manta con que la mujer haga [8] calzones y camisa
a los muchachos, si es que el trabajo no fué [9] en solvencia
de una vieja deuda. ¡Siempre la misma desproporción entre
el salario y las necesidades: un señuelo que no se alcanza 30
nunca!

Y esto es cuando los tiempos parecen buenos, porque en

otros, cuando se han perdido las cosechas por la falta de lluvia, en todas partes les dicen no haber trabajo.[10]

* * *

El más joven de los tres forasteros vendedores de baratijas, hecha ya la luz del día,[11] estaba en el arroyo, cerca del manantial, lavándose los peludos brazos. Con sus botas altas, con su pantalón de montar y con su pistola al cinto, en aquel sitio un poco apartado del caserío, infundía tal desconfianza que no pocas mujeres se regresaron sin llenar sus tinajas.

Una muchacha de andar ágil, sin percatarse de la presencia del forastero, llegó hasta el pozo. Hundiendo las manos en el agua corrediza, se las lavó con toda calma. Parecía entretenida en ver su imagen en las aguas. Después se echó puñados líquidos a la cara y se alisó los cabellos de por sí untados, por sobre las orejas.

Cuando, con los pies metidos en la escasa corriente, se los lavaba frotando uno contra otro, reparó en que el forastero estaba a unos pasos, mirándola atento, con unos [12] ojos que, sin necesidad de la expresión que tenían, le inspiraban temor.

Ella simuló no haber visto. Se disponía a ponerse la tinaja en la cabeza, pero con el susto la olla cayó sobre las piedras, haciéndose pedazos. El hombre le murmuraba algo que ella no entendía; pero le bastaba con verle los ojos [13] y el labio inferior un tanto caído, para sentir miedo.

Quiso ganar el paso cavado en la pequeña ladera; pero el hombre se interpuso. Entonces cruzó a saltos el arroyo, buscando refugio en la otra orilla. Corría con una gran ligereza por sobre el pedregal, a pesar de sus pies descalzos. Sus ojos azorados se dirigían hacia las casas, en espera de protección; pero dominada por el pánico la muchacha no gritaba, como si el mutismo de la raza persistiera [14] hasta en tales trances. Al fin se decidió por el monte, convencida de que el camino de la ranchería se lo cerraba el perseguidor.[15] Los dos se perdieron a todo correr en una matilla cerrada. 5

Tal vez la noticia se había difundido, porque casi al mismo tiempo cruzaban el arroyo unos seis hombres que desenvainaban sus machetes y esgrimían garrotes. Cuando iban a entrar, como perros furiosos tras una presa, al pequeño bosque, de él salió el forastero esgrimiendo su 10 revólver. Como uno de los naturales avanzaba amenazador a su encuentro, el blanco hizo algunos disparos al aire, con lo que los vengadores se replegaron a un lado.

Así, con el arma lista para hacer fuego, el forastero se dirigió al arroyo, el que cruzó a zancadas; y, luego, a la casa 15 en que se había alojado, en busca de los otros blancos. La muchacha, por el otro lado de la matilla, con la cara oculta entre las manos, se dirigió a su casa, seguida por los hombres de su tribu, sombríos, mudos, que habían ido a rescatarla, sin venganza.[16]

20

* * *

A causa de lo sucedido, los naturales adoptaron una actitud rencorosa. Cuando los mercaderes volvieron a exhibir sus baratijas, ya nadie se acercó. El intérprete fué de casa en casa, ofreciendo lo que más demanda había tenido el día anterior; pero las puertas se le cerraron en la cara. A 25 una de las casas fueron llegando [17] los viejos, a tratar sobre lo que la tribu debería [18] hacer.

Entonces resolvieron los visitantes anticipar la exploración por las sierras; pero a las preguntas que hacían apenas si contestaban los naturales. El viejo, en cuya casa se alo- 30

jaran,[19] tampoco respondía, al parecer con la atención fija
en una cesta de bejuco que iba tejiendo [20] lentamente:
sentado en un trozo de madera, la cesta cogida entre los
pies, las manos moviéndose como grandes tarántulas te-
5 jedoras.

El que por su edad y actitudes parecía el jefe de la excursión, increpaba al más joven, echándole en cara su mal
proceder, con el que tan sólo había obtenido el disgusto y la
hostilidad. El hombre se paseaba nervioso por el patiecillo,
10 mirando de vez en cuando las sierras encarrujadas de follaje.

De pronto se dió un golpe sobre un costado, con el ademán
de quien ha encontrado una solución. Extrajo del bolsillo un
legajo de papeles y apartó uno. Lo leyó y, luego, dirigiéndose
al intérprete, le ordenó que se informara [21] dónde podía
15 hablar con la autoridad del lugar.

El viejo de la casa contestó que no había más autoridad
que los *huehues,* los viejos como él: de mala gana señaló
una casucha al extremo del callejón, precisamente donde
se hallaban reunidos los ancianos, junta a la que él no
20 asistía [22] por temor a que [23] los blancos fueran [24] a cometer
otro atropello, con su familia.

Allá fueron el intérprete y su jefe. Al llamado, salió un
perro enjuto y de largas y paradas orejas, ladrando. Abrió
la puerta un anciano de cabeza completamente blanca y de
25 cara completamente imberbe. En los ojillos negrísimos del
viejo no podía leerse absolutamente nada. Era como un
ídolo doblado por los años. Unicamente los labios, jalados
hacia abajo en ese corte facial de quien llora, denotaban los
pasados sufrimientos. Al hablar, podía vérsele una dentadura
30 blanca, ajustada y pareja.[25]

Algunos de los indígenas que ya salían rumbo a sus
labores, regresaron a sus casas, en espera de lo que pu-

diera [26] suceder. Todo era de temerse,[27] a pesar de que en la cara del viejo no había el menor indicio de sobresalto, pues los blancos ponían insistentemente la mano sobre la empuñadura de sus revólveres.

Bien pronto, frente a la casucha, se reunió toda una multitud, en su mayoría compuesta de muchachos. Las mujeres observaban a distancia, asomadas a las puertas de sus casas. Ojos de angustia y curiosidad.

Los perros ladraban insistentes, con la mirada puesta en los forasteros. Era toda una jauria, pues no hay indígena que no tenga [28] un perro, cuando menos. Pero ni un solo ejemplar digno de codicia: todos ellos flacos, enjutos, como fieles representaciones de la miseria tradicional de sus dueños: las huesosas costillas sincronizadas a cada ladrido; orejas paradas como las del coyote; y hocicos afilados en un constante rastreo hambriento.

Sobre la ranchería había un ambiente como el de las noches entenebrecidas por los espantos.

El intérprete le dijo que su amo lamentaba mucho lo sucedido; que reconocía como justo el enojo de todos, pero que el hecho no era más que una locura de la juventud; que el culpable sería enérgicamente castigado y que les pedía perdón.

Como el viejo no contestaba nada, el intérprete, nuevamente instruído por su amo, le advirtió que, si a pesar del perdón solicitado ellos se negaban a darles las facilidades para buscar en las sierras algunas plantas medicinales, tendrían que valerse de una orden de la que eran portadores, firmada por el presidente municipal del pueblo, en acatamiento a órdenes muy superiores.

El antiguo temor, almacenado al correr de los siglos [29] de sumisión, hizo que el viejo hablara,[30] por fin. Preguntó qué

era lo que ellos deseaban. Le dijeron que no solicitaban más
que un guía, conocedor de los montes, de las plantas, de
todo, que los acompañara.[31] Y el papel fué puesto ante los
ojos del anciano, inútilmente.

5　　Los caracteres escritos nada decían a sus ojos. Más le in-
timidaba el papel por sí solo, aun cuando en blanco, porque
ya se le había dicho que aquello era una orden: él era
sabedor de las consecuencias que para su raza ha tenido
siempre el no atender una orden.[32]

10　　Pero no resolvió nada. Adujo que la autoridad no estaba
tan sólo en sus manos, sino en las de todos los viejos. Algunos de éstos ya se habían acercado, inquiriendo con la
mirada qué nuevo atropello deseaban cometer, y entonces en
el más viejo [33] de los *huehues*. Otros fueron llamados, y el
15 consejo se instaló bajo un cedro cuya sombra hubiera sido
suficiente para una asamblea diez veces mayor.

Hubo airadas objeciones de parte de los menos viejos,
diciendo que no era de accederse,[34] sino que más bien deberían [35] ser llamados todos los hombres y darles muerte a
20 los *coyomes*,[36] es decir, a los blancos. Otro de los exaltados
expresó con ira que cuantos extranjeros pisaban el lugar
sólo era para causarles daños, a pesar de que ellos siempre
los habían tratado hospitalariamente y hasta con respeto. Al
viejo sólo se le conocía el violento estado de ánimo, por el
25 sentido de sus palabras [37] y por un ligero temblor de las
manos, porque su cara permanecía tan inalterable como la
de un ídolo de *tezontle*.

A pesar de todo, se impuso la orden escrita en el papel. El
más viejo hizo con palabras tranquilas el relato de los pasa-
30 dos sufrimientos, de las fugas por la montaña, de los años
de hambre, todo porque la tribu había desobedecido y pro-

vocado el enojo de los blancos. Y se convino en proporcionar un guía para que los forasteros recorrieran [38] los montes.

Fué designado un joven que por su estatura, conformación y aire de altivez, era un digno vestigio de una raza que fué grande y fuerte.

5

3

ÁGUILA QUE CAE

LOS caballos quedaron atados a la sombra de unos árboles. Los tres mercaderes, metidos a exploradores, se alistaban para la expedición, por todo el día. El intérprete colocaba en su mochila los comestibles. El más viejo, metía en un tubo
5 de metal un rollo de papeles, convenciéndose de que en sus bolsillos se hallaba el vidrio de aumento. El más joven, extrajo de su maleta una cámara fotográfica y quiso probar su funcionamiento retratando a uno de los ancianos presentes.

El indígena comprendió de qué se trataba y rápidamente
10 se puso fuera del ojo fotográfico.[1] Es que ellos consideran que un enemigo puede causarles todo el daño que quiera [2] si es dueño del retrato, que el mal que cause [3] a la efigie se lo causa al mismo individuo; como tampoco dan sus verdaderos nombres, seguros de que el maleficio los encuentra
15 fácilmente, si es que [4] el autor sabe cómo se llaman.

En esos momentos llegó el joven que iba a servirles de guía por el monte. Iba con la cabeza descubierta, pues ¿ para qué sirve el sombrero bajo las sombras de la selva? Iba descalzo. Llevaba el calzón enrollado hasta la mitad del
20 muslo y con la camisa abierta por el pecho. Con sus ojos de una fijeza asombrada, con sus cabellos negros, lacios y caídos en pinceladas sobre la frente, con los pómulos salientes, con los labios huérfanos de barba fuertemente apretados, era bello.

46

Se emprendió la caminata. Al pasar el arroyo, el mismo donde por la mañana tuvo lugar el incidente enojoso con la muchacha, el jefe de la expedición detuvo a sus compañeros y extrajo sus papeles, el plano en que tenía puesta toda su esperanza de éxito. Durante un buen rato lo examinó, teniéndolo extendido sobre una rodilla. Después dirigió la vista hacia los cerros. Confrontó éstos y los puntos del mapa. Y, luego, como si tratara de cortar el monte con un solo tajo de su mano, señaló el rumbo que deberían seguir.

El indígena tomó una vereda y tras él se perdieron en el monte los exploradores, a la vista de las mujeres, de los niños y de los ancianos, que asistían a la partida. Bien pronto el jefe de la expedición se opuso a que se siguiera por la vereda, creyendo tal vez que el guía trataba de apartarlos del rumbo señalado. A tiempo que daba instrucciones al intérprete, ejecutaba el ademán de antes: un tajo que partía el monte. El intérprete explicó las cosas al guía y éste desenvainó el machete, comenzando a abrir una angosta brecha para que los demás pasaran por ella.

¡Qué habilidad en el manejo del acero! Con golpes, al parecer suaves, podaba ramas cubiertas de espinas peligrosas a la cara, tajaba trenzados bejucos que impedían el paso y pegaba en los troncos secos, como temeroso de que en ellos pudiera ocultarse mañosamente la víbora que siempre atisba el talón.

Mientras los blancos se detuvieron a observar una planta que les llamó la atención apenas penetraran a lo más intrincado, el guía se despojó de la camisa, atándosela a la cintura. Cuando reanudaron la marcha, los que le seguían no pudieron menos que admirar al hombre: cuerpo más bien esbelto que fuerte. Nada de los abultamientos musculares propios de los atletas. ¡Pero qué resistencia en la caminata y en el trabajo! Cuando apretaba el machete para dar un golpe, el antebrazo resultaba un nudo de fibras. Cobre repujado por el sol y el esfuerzo. Estatua en movimiento, hecha de cedro nuevo.

5 El intérprete, que era el más preocupado y temeroso ante el peligro de ser mordido por una víbora, de las que mucho habían hablado sus amos, pidió al guía que le mostrara la planta benéfica en tales casos. El joven le contestó que no necesitaba preguntarlo, pues que, con observar tan sólo la 10 conducta de las águilas cuando son mordidas por las serpientes, le bastaría para descubrir el remedio. Al menos, eso le habían enseñado los viejos: los animales saben por instinto dónde pueden encontrar su alimento, dónde permanecen más seguros, cuáles son las argucias de sus enemigos, 15 mientras que el hombre no sabe nada. Y como el intérprete insistiera,[5] el guía le mostró la primera planta que se le presentó a la vista.

En un sitio donde el follaje estaba abierto como en un tragaluz, el jefe de la expedición volvió a consultar sus 20 papeles. Aseguró que iban perfectamente y que faltaría otro tanto de lo caminado.[6]

La complacencia del guía tentó la codicia, más que la oportunidad, de los exploradores.[7] Como por la noche habían hablado de que los naturales conocen una planta 25 maravillosa contra la calvicie, el intérprete fué inducido a hacer la pregunta.

El indígena, después de mirar a las cabezas de sus dirigentes, contestó que no se explicaba la solicitud, pues que todos ellos tenían mucho pelo. Pero como insistieran [8] adu-30 ciendo razones como la de que el remedio era para un pariente calvo, el guía les señaló con el machete una planta, de la que los blancos hicieron abundante cosecha.

Los pájaros, de una variedad inmensa, no llamaban la atención más que al joven indígena, quien en ocasiones, para no amedrentarlos, silbaba como ellos. Tampoco los raros insectos despertaban la curiosidad, excepción hecha de los zancudos que les habían enrojecido el cuello, las orejas y las manos, mientras que el guía no se daba cuenta de ellos.

Llegaron, por fin, al sitio señalado con más o menos precisión en el plano, como aquel en que debían hallar la mina o el escondite del polvo dorado de los tributos. El jefe de la expedición no hacía otra cosa que levantar las piedras que hallaba y someterlas al examen de su vidrio de aumento. Otras eran partidas [9] a golpes, y entonces el examen era más minucioso, sin que en las entrañas aparecieran [10] las ansiadas vetas brillantes, denunciadoras del metal.

Sentados los tres blancos sobre una roca volcánica, sudorosos, cansados, discutieron y hablaron del plano. El resultado de la discusión fué el enérgico acuerdo de que la mina tendría que ser hallada.

Pero como el sol metía perpendicularmente chorros de luz por entre el follaje y la caminata había abierto el apetito, antes de proseguir la búsqueda, resolvieron comer. De lo que sobró, una lata en cuyo fondo había quedado un pedazo de carne en aceite, se le dijo al indígena que comiera; pero él sonrió agradecido, sin aceptar, y dió fin a la tarea de seguir escarbando con un trozo de madera el túnel de un hormiguero.

Como la digestión y el calor no eran propicios para mayores caminatas, el intérprete sugirió la idea de recurrir de una vez al indígena, para saber el sitio preciso de la mina o del escondite del oro. El jefe de la expedición se opuso, diciendo que era necesario agotar primero todos los medios pacíficos, pues que aún abrigaba la esperanza de que sus papeles le dieran la clave.

Al reanudar la marcha, el guía notó que sus acompañantes ya no caminaban con el mismo entusiasmo, al grado de que,[11] a indicación de ellos, tenía que esperarlos frecuentemente, a pesar de que él perdía tiempo en ir abriendo [12] paso. El rumbo tomado nuevamente era el de un alto cerro que mostraba en un flanco un enorme lienzo de canteras, algo así como un cantil donde acaso las aguas, sublevadas en los primeros días del mundo, batieron insistentemente.[13] Al pie del acantilado, la escasa vegetación permitía descubrir [14] un punto oscuro, como la entrada de una cueva.

El sitio podía ser comprendido en la zona señalada en los planos. El jefe de la expedición creyó haber dado con el lugar apetecido: sin duda aquella cueva fué el escondite de los tributos en oro, o tal vez la mina, pues su escasa experiencia en esos achaques le sugería la semejanza del lugar con otros donde los trabajos de minería se han visto ampliamente recompensados con hallazgos de ricas vetas.

El ascenso fué difícil, primero por entre los bosques que adelantaban sus avanzadas hasta las estribaciones; después por cerrados matorrales de vegetación áspera; y, luego, por la plena ladera, toda ella [15] sembrada de piedras volcánicas de las que,[16] de vez en cuando, en las temporadas de lluvias, se desprendían de la parte más alta. El guía trepaba con una gran agilidad, pero los que le seguían se auxiliaban entre sí, dándose las manos.[17] En el paso más difícil hicieron que el indígena los ayudara [18] con una larga soga que el intérprete se quitó de la cintura.

Agotados, llegaron hasta un enorme hoyanco situado en un extremo de los cantiles y que desde el bosque era completamente invisible. Era como un valle minúsculo donde no había más vegetación que una ceiba cilíndrica y que, en forma caprichosa, mostraba extendido a poca altura uno de sus brazos.

Mientras descansaban sentados junto al tronco de simétri- 5 cas espinas semejantes a tachuelas de gran cabeza, contemplaron el panorama: a sus flancos, se desdoblaba la sierra en grandes facetas; pendientes que parecen trampolines de gigantes; por sobre los cerros, otros cerros distantes; toda una sucesión de alturas; y entre ellas, perdidas las esperanzas 10 de dar con lo que ha guardado celosamente la tradición.

Lo único que faltaba por explorar era el agujero descubierto desde el bosque. Estaba a unos cien metros; pero perfectamente defendido por la barranca y los amontonamientos de piedras, siempre amenazando derrumbes. Lejos, 15 en los valles, los ríos parecían víboras plateadas que inmóviles se calentaban al sol. El joven indígena, recargado en una enorme piedra de filosas aristas, también contemplaba la lejanía, respirando tan tranquilamente como si no hubiera desarrollado el menor esfuerzo en la subida. 20

Pasada media hora resolvieron dar término al ascenso. Ayudados con la soga y por el indígena que fué el primero en llegar a la boca de la cueva, los tres hombres se asomaron al túnel. Cuando habían penetrado algunos metros y encendieron un cerillo para poder caminar en las sombras, 25 algunos volátiles les dieron en el pecho, huyendo de quienes les invadían su refugio. Eran murciélagos de gran tamaño.

Bien pronto dieron con el fondo de la cueva. De regreso a la luz examinaron lo que habían recogido en las sombras: lo que ellos creyeron que era polvo de oro no era más que 30 inmundicia de los murciélagos. Las piedras que tomaron para examinarlas detenidamente, eran tan vulgares como las mismas peñas que habían escalado con tantos trabajos. Los tres hombres se miraron con la decepción pintada en las caras sudorosas, en tanto que, en la parte más alta del cantil, 5 los cuervos se columpiaban gritando a sus hijos.

No sin dificultades, emprendieron el regreso al vallecillo en cuyo fondo crecía solitaria la ceiba, donde momentos antes descansaron. El más viejo de los expedicionarios, dirigiéndose a los suyos, les mostró el vasto panorama que 10 tenían a la vista, todo hecho de cumbres, pues la barrera que les flanqueaba del lado del precipicio les impedía ver el valle e impedía también que se les viera [19] desde el rancho. El gesto del blanco no podía ser más desesperado. Era como la rectificación a la voluntad que mostró cuando organizaba 15 el viaje, cuando aseguraba que ni el recodo más escondido de la sierra se escaparía a su ojo, en busca de lo que él consideró [20] siempre como su tesoro. A distancia, esas caminatas parecen fáciles, pero ¡qué distintas cuando las piernas se doblan de cansancio, cuando el sol pica en la espalda y las 20 rugosidades del terreno parecen no tener fin!

Colérico, ordenó al intérprete que preguntara al guía sobre la causa verdadera de la expedición. Que [21] con toda franqueza le expresara que no eran hierbas medicinales las que buscaban, sino minas y el escondite del oro en polvo, el 25 de los tributos recibidos por los antecesores. El intérprete interrogó al indígena y éste apenas sonreía sin decir nada. El intérprete insistió, diciendo que las tradiciones eran puestas en los labios de los niños y que él, ya un hombre, sabría sin duda alguna toda la tradición. El indígena volvió a mostrar 30 sus dientes de blancura herbívora, y dijo no saber nada.[22]

Por indicación del viejo, el intérprete agregó que, de hallar los tesoros,[23] él disfrutaría de una buena parte, pero el joven repitió con el mismo acento y con la misma sonrisa, no saber nada. Ya dominado completamente por la ira, el viejo se alzó de donde estaba sentado y, antes que el indígena pudiera [24] moverse, le puso en el pecho el revólver. El joven no se inmutó, acaso ajeno al peligro, aunque el [5] martillo se iba alzando [25] poco a poco bajo la presión de la mano temblorosa de cólera.

—¡Díle que hable, o lo mato!

—Es mejor que hables [26] —le dijo el intérprete—porque este *cóyotl* [27] es capaz de matarte. [10]

El indígena guardó silencio, como indiferente al peligro. El jefe de la expedición ordenó, entonces, que se le ataran las manos por la espalda, para lo que fué empleado un cinturón. Después dijo que la soga fuera lanzada por sobre la rama de la ceiba y que se echara un nudo corredizo al [15] cuello del guía.

Considerándolo ya completamente seguro, enfundó el arma y ordenó al intérprete que insistiera nuevamente, creyendo que los preparativos de tormento hubieran causado más efecto que la presencia de un revólver. La inutilidad del pro- [20] cedimiento violentó el propósito: [28] los tres hombres tiraron del extremo de la soga, y el joven fué levantado a un metro del suelo. Al ser bajado, se bamboleaba como un ebrio. Acaso se hubiera derrumbado si la soga no lo retiene [29] de pie.

—¡Habla!—le dijo el intérprete. [25]

Y, como no respondiera,[30] fué alzado nuevamente y sostenido, por más tiempo, en el aire. Cuando presentó los primeros síntomas de la estrangulación, fué bajado otra vez; pero, como entonces sus piernas ya no podían sostenerlo, hubo necesidad de que la soga fuera abandonada [31] com- [30] pletamente. La cara amoratada no revelaba sufrimiento. Sólo las manos, sometidas a la espalda, tenían un temblor.

Fué el intérprete quien lo libró del lazo. Puesta una rodilla en tierra,[32] comenzó a interrogarlo, imperativamente, y después con voz de convencimiento y lástima.

Los ojos del joven, tan tranquilos como al sonreír a las preguntas previas al tormento, se movieron circularmente, estudiando cuanto le rodeaba. Su silencio exasperó a los expedicionarios y, tal vez para resolver lo que más les convendría, se apartaron un poco, hablando en voz baja.

Cuando estuvieron a regular distancia, el indígena, aunque maniatado, se levantó ágilmente, corrió hacia el parapeto, subió por él de dos saltos y ganó la pendiente.

Los tres hombres corrieron también. Desde la parte saliente, como desde un balcón, vieron cómo el indígena saltaba cuesta abajo, en ocasiones resbalando como un tronco lanzado de punta desde la cumbre. Pero, no contando con el equilibrio de los brazos, el fugitivo dió una voltereta. Desde ese momento fué rodar y dar tumbos[33] sobre las grandes rocas que en la pendiente parecían almenas desiguales, hasta que se perdió de vista en las primeras malezas.

Los blancos estuvieron, tal vez, perdidos en los montes cuando trataron de regresar solos a la ranchería, porque no llegaron hasta al amanecer. Dijeron que el muchacho estaba por[34] llegar, también. Y con toda precipitación ensillaron sus caballos y aperaron la mula, partiendo sin pérdida de tiempo.

4

GUERRA

EN algunas vueltas del camino, por la pendiente que habían
tomado de regreso los forasteros, aún se les miraba aparecer
y desaparecer. Como a la llegada del día anterior, llevaban
por las riendas sus cabalgaduras. En esos momentos llegó a
la ranchería el *cuatitlácatl,* hombre de monte, joven cazador. 5

Dijo a los viejos que él se hallaba al pie del cerro prepa-
rando un *tlapehual,* una trampa, a los tejones, cuando oyó
que por la pendiente rodaba algo extraño, distinto a las
piedras que se desprenden de la montaña en las temporadas
de lluvia. 10

Fué a ver qué había sido la causa del estrépito y halló al
guía de los blancos, todo herido, atado por las manos e
inmóvil. De no haber hallado [1] en su rodar una gruesa
matilla, hubiera seguido rebotando quién sabe hasta dónde.

Lo sucedido el día anterior con la muchacha, el regreso 15
violento de los forasteros y su partida no menos precipitada,
bastó a los naturales para suponer la verdad. En confirmación de la sospecha, el *cuatitlácatl* agregó haber interrogado
al herido y que éste abrió apenas los ojos y pudo pronunciar
una palabra: 20

—¡ *Coyome!* [2]

Eso bastaba. El joven había sido lesionado por los blancos.
Uno de los viejos, al oír lo que había sucedido a su hijo,
comenzó a gritar, culpando a los *huehues* de todo, pues que

ellos dispusieron que el muchacho acompañara a los forasteros. Sus voces fueron como el llamado a la guerra. Todos
corrieron a sus casas en busca de sus armas. Algunos aparecieron desenvainando los machetes; otros salieron con una
5 herramienta agrícola; y hubo quienes se presentaran esgrimiendo un *chuzo* de pescar, a manera de lanza.

Los adultos, todos los que a esa hora aun no se marcha-
ban a sus trabajos, se adelantaron vociferando. El grueso del
ejército fué compuesto por los viejos y por los muchachos.
10 Atrás iban las mujeres con sus hijos más pequeños, todos
juntando piedras para combatir.

Para ganar tiempo y distancia, atravesaban montículos,
cruzaban breñas y se dirigían diagonalmente en la pendiente, rumbo al paso más difícil de la vereda. Bien pronto
15 la multitud se colocó a la misma altura que los forasteros,
cuyos caballos bajaban con grandes dificultades por el terreno pedregoso. Se hallaban precisamente a la mitad del
descenso.

La lucha se inició con alaridos y con una lluvia de piedras
20 lanzadas de diversos lugares. Los forasteros se replegaron
a un sitio acantilado, en tanto que los naturales se posesiona-
ron de varias alturas, poniendo un cerco a los tres hombres.
Las piedras, lanzadas por las hondas, zumbaban en el aire.
Un chuzo enviado con una gran certeza, tocó la frente del
25 intérprete y fué a clavarse en el anca de un caballo.

Parecía que los fugitivos no deseaban oponer resistencia,
temerosos de una agresión más decidida. Se concretaron a
protegerse tras las cabalgaduras y en los parapetos naturales
del lugar. Cerca de ellos se formó bien pronto un pedregal
30 menudo, como resultado de la lluvia de los proyectiles indígenas. Al más joven de la expedición le sangraba la ca-

beza,[3] a causa de un pedrusco recibido. En tal situación pasaron los primeras horas.

Cuando los naturales armados de machetes iban a dar el asalto, los blancos hicieron los primeros disparos con sus revólveres, lo que obligó a los atacantes a retirarse un poco. [5] Las siguientes descargas, al parecer, sólo tuvieron por objeto amedrentarlos, no sin que aquéllos provocaran otros disparos, con el propósito de agotarles el parque.[4]

Durante una tregua, los tres hombres sitiados deliberaron a la vista de sus enemigos. Tal vez resolvieron romper el [10] cerco, valiéndose de los escasos cartuchos que les quedaban. Una nueva gritería se alzó cuando los naturales los vieron montar y dirigirse por la vereda, hacia abajo, taloneando los ijares de sus bestias.

Otra lluvia de piedras, mucho más nutrida y certera, cayó [15] sobre los fugitivos, quienes ya no contaban con el refugio de antes. Pero las armas de fuego se impusieron a la honda y al chuzo. La gritería de los naturales creció más, al ver que sus enemigos escapaban. Y entonces surgió la inventiva de la guerra. Comenzaron a desprender de la pendiente [20] grandes piedras que echaban a rodar, con la esperanza de que alguna de ellas, en su trayectoria, se los llevara de paso.

Los enormes proyectiles partían a grandes saltos, cuesta abajo, llevándose a su paso los arbustos y otras rocas. A cada envío de tales proyectiles, los blancos se cubrían la [25] cabeza con el antebrazo, como si esa actitud pudiera protegerlos. Cada una de las rocas que pasaba por sobre la cabeza de los tres hombres e iba a caer al abismo, dando tumbos, provocaba entre los naturales una regocijada gritería, creyendo [5] haber logrado ya su intento. [30]

Aunque no de las mayores, una de las rocas lanzadas a

la pendiente fué la más certera. Así lo consideraron los naturales, pues desde su partida provocó una gran algazara. Después la atención de todos se reconcentró en su marcha. Se hizo un silencio completo y la roca pasó por sobre una
5 de las cabalgaduras.

A su paso se llevó al jefe de los expedicionarios, al parecer delicadamente, sin tocar siquiera al caballo. Al golpe, el hombre saltó por delante del proyectil, como salta la mosca cuando el muchacho le da hábilmente con un resorte.
10 Cuando en el fondo de la barranca dejaron de sonar los últimos rebotes de la roca, los naturales reanudaron su gritería. Y gritando, contentos de haber tomado venganza, regresaron a sus casas.

* * *

Durante aquella noche hubo agitación en la ranchería.
15 Así lo demostraba el que los viejos se hallaban reunidos y que en torno de ellos se aglomeraran [6] los vecinos, produciendo un zumbar de colmena alborotada.

Los que apenas regresaban de sus trabajos, eran enterados de lo sucedido. Tanto los que habían ido a sus propias la-
20 bores, como los que venían de jornalear en las haciendas del valle y los que habían terminado su semana de domésticos al servicio de los poderosos del pueblo, después de enterarse, emitían su opinión, aunque sin valor alguno, pues la que prevalecería no era otra que la de los *huehues*.
25 Fué uno de los últimos el que aportó el más importante de los informes. Cerca del pueblo había encontrado a dos blancos a caballo. Uno de ellos llevaba por el cabestro una mula de carga, mientras que el otro guiaba a una montura sin jinete. Eso demostraba que en la fuga, los buscadores de
30 oro habían dejado abandonado al que la roca arrebató

cuesta abajo, tal vez sepultado por el mismo proyectil en el fondo de un barranco.

Los viejos siguieron pensativos durante un largo rato. No cabía duda: el blanco había muerto y, por lo tanto, eran de esperarse las represalias.[7] El papel que les habían mostrado los forasteros, como una recomendación de la autoridad, era la mejor prueba de que contaban con influencias. Y, así como habían obtenido una recomendación, así los supervivientes obtendrían una orden para capturar y castigar a los autores del homicidio.

El más viejo de los *huehues* se levantó de la piedra en que había permanecido sentado. A las últimas luces del día y a las primeras de la luna, que se alzaba como un amarillo *chimal,* echó un vistazo sobre los congregados.

De faltar algunos, fueron muy pocos.[8] El viejo hizo un ademán indicando que se acercaran los más distantes. En la penumbra de la hora, todas las caras, del mismo color y con los mismos rasgos, resultaban iguales, como si las hubiera fundido el mismo impulso, causa de la reunión.

Inmediatamente se hizo el silencio. El viejo dijo que, aun cuando la razón estaba de parte de la ranchería, los del pueblo iban a cobrarse la venganza. Como en otras ocasiones, la muerte del blanco sería el pretexto para aniquilarlos, para despojarlos.

Explicó que era llegada una nueva época de sufrimientos, de la que sólo podrían librarse si presentaba una acción conjunta toda la tribu, como conjunto había sido el castigo aplicado al blanco. Él y los demás viejos, con ser de[9] la ranchería y haber presenciado el hecho no podían decir quién empujó la roca que, bajando a grandes saltos por la pendiente, causó la muerte. Además —clamó con gesto rencoroso—, entregar al vengador sería lo mismo que ofender

a las mujeres ultrajadas en la muchacha perseguida; como
ofender también a los hombres heridos en el joven, quien,
al servirles de guía por los montes, encontró la desgracia.

Y acabó por expresar su plan de campaña: abandonar la
5 ranchería; refugiarse en los montes, como en pasadas épocas
de persecuciones; presentar resistencia cuando las circunstancias fueran [10] favorables; cuidarse de las tribus circunvecinas, que siempre han saciado sus odios aliándose con
los forasteros; y mutismo absoluto por parte de quienes
10 cayeran en manos de los blancos. ¡Ahí su fuerza! [11]

—Nada importa —les dijo— que les quemen los pies para
hacerlos confesar cuáles son nuestros escondites. ¡Ni una
palabra! Si los cuelgan de un árbol para arrancarles los nombres de quienes tomaron parte en la lucha con los tres
15 blancos. ¡Ni una palabra! Si les tuercen los brazos hasta
rompérselos [12] para que digan dónde tenemos nuestras provisiones. ¡Ni una palabra!

El *huehue* se volvió a los demás viejos y estos ratificaron
sus consejos con una inclinación de cabeza, pues que, por
20 boca de aquél, había hablado la lengua de la experiencia.
Entre la muchedumbre reinó el más completo silencio. Y
en silencio se fueron diseminando todos.

Durante la noche la ranchería se vació de habitantes. Por
todas las veredas, a la luz de la luna llena, salían las mujeres
25 con el muchacho a la espalda y llevando en los brazos los
enseres de cocina. Tras ellas, los hombres conduciendo de
la mano a los hijos, llevando también la red de pescar, el
machete y la cobija. Ya en la madrugada, fueron solamente
los adultos los que tornaron a salir, acarreando parte de la
30 última cosecha.[13] Al amanecer fueron los ancianos los que
desfilaron,[14] después de haber pasado la noche reunidos, la-
mentando las interminables tribulaciones de la raza.

. . . la ranchería se vació de habitantes.

5

CASTIGO

LOS funcionarios del pueblo, después de haber avisado a la superioridad lo sucedido, organizaron la expedición violentamente, pues la respuesta fué ordenando que se castigara a los culpables.[1] La columna fué integrada por los policías, por algunos de los vecinos más resueltos y que se prestaron de buena gana, así como por el profesor de la localidad y por el secretario del presidente municipal. Éste, montado en su mejor caballo, encabezaba la pequeña tropa.

En un sitio adecuado, la expedición se dividió en tres grupos, bajo la advertencia de que, al pisar sus sombras,[2] todos deberían hallarse en las afueras de la ranchería. Se trataba de cerrar todos los caminos por donde pudieran escapar los naturales, algo así como si hubieran querido ponerle puertas al monte.

Los que avanzaron por los sitios más escabrosos, dejaron sus cabalgaduras y siguieron a pie. Todos llevaban listas sus armas, como que las órdenes del presidente municipal eran muy enérgicas: fuego a los que huyeran y exterminio en caso de resistencia. La mayoría lamentaba el mal estado de los caminos, culpando a los naturales de no haber mejorado en tantos años sus vías de comunicación. Por primera vez, el presidente municipal pisaba aquellos lugares, percatándose de la miseria en que vivían aquellos a quienes iba a perseguir.

Dadas las señales convenidas,[3] con un cuerno a falta de corneta, los grupos entraron a la ranchería sin que habitante alguno pasara por los callejones o al menos se asomara a las puertas. Las casas permanecían cerradas. Ningún indicio
5 revelador de la presencia de los naturales.

Apenas si algún gato, animal que se encariña con la casa y no con sus dueños, saltó sobre un *tecorral* y escapó rumbo al monte. La inmovilidad de los árboles, en los patios y en las huertas, parecía sumarse al abandono en que los natu-
10 rales dejaron sus hogares. El mismo aspecto que en las rancherías de indígenas dejan tatuado las epidemias cuando, por la incuria, la ignorancia y la falta de auxilios exterminan a sus moradores, prevalecía en la aglomeración de chozas junto a las cuales desfilaba la autoridad.

15 Los más resueltos a cobrar sus trabajos, sin necesidad de orden alguna, abrieron a golpes las puertas y entraron en busca de los insumisos. No hallando a nadie, tomaban de lo que más les despertara la codicia: un machete, una red, un saco de frijol o de maíz, algo de lo poco que puede
20 hallarse en la casa de un indígena.

La reunión fué en la planadita donde antes, en los días tranquilos, se hacían las fiestas y el *tianguis*. Temerosos de una sorpresa, todos conservaban las armas en la mano, listos para hacer fuego. En vista de la falta de enemigo, los ex-
25 pedicionarios resolvieron tomar un descanso. El presidente municipal, su secretario, el profesor y dos o tres de sus más allegados, tomaron asiento bajo un arbolillo de agradable sombra. En las casuchas pardas que los rodeaban no había nadie, pero el funcionario y sus hombres estaban seguros
30 de que varios ojos penetrantes los miraban desde las fronte-ras serranías.

Movidos por esa convicción, un grupo comenzó a disparar sus armas sobre los lugares más cerrados de boscaje de la cercana sierra. Las diez o quince armas disparadas al mismo tiempo producían un ruido ensordecedor cuyo eco iba rebotando por largo rato de cerro en cerro. Lo más fácil era que los proyectiles se perdieran [4] sin llenar su objeto, en la inmensidad del paisaje; pero a lo mejor alguno dió en el indígena escondido en su choza no menos escondida. Al menos ésa era la intención de los que disparaban.

Tal vez los estallidos espantaron a un gato, que cruzó a todo correr un callejón. El secretario del presidente munici-pal, a falta de indígenas en quienes vengar las molestias de la jornada, le apuntó con su arma. Disparó, pero el animalu-cho, tan sólo dió un salto grotesco, y continuó la carrera. El secretario, para no verse defraudado en su fama de buen tirador, dijo que sin duda había sido certero, pues el salto así lo estaba revelando; pero que, como los gatos tienen siete vidas. . .

Pasado un momento, de una de las casas comenzó a salir una densa humareda y, con ella, algunos de los expediciona-rios. Bien pronto el fuego dió fin hasta con las paredes, mejor dicho, con las empalizadas mal cubiertas de barro gris. De la casa huían algunos insectos voladores y las ratas.

Por fin la casucha se vino a tierra. Sólo por las distancias que había entre el incendio y las demás chozas, el fuego no se propagó. Los testigos del siniestro lo celebraban con gritos y risas.

El secretario, que no parecía resignado a que se le arran-cara del pueblo [5] donde a esa hora acostumbrara jugar al billar, comenzó a decir que los indígenas son insubordina-dos, holgazanes, borrachos, ladrones. El presidente, hombre de las mismas ideas, agregó que los naturales son un verda-dero lastre para el país.

—¿De qué sirven si son refractarios a todo progreso?
¡Han hecho bien los hombres progresistas y prácticos de
otros países, al exterminarlos! ¡Raza inferior! ¡Si el gobierno del centro me autorizara, yo entraría a sangre y
5 fuego en todos los ranchos, matando a todos, como se mata
a los animales salvajes!

Esto lo dijo, despechado, porque entre sus proyectos había
figurado el de llevarse unos cincuenta indígenas prisioneros.
Y éstos se le escapaban. Repitió:

10 —Sí, señores: ¡como se mata a los animales salvajes!

Y al expresar su deseo ejecutaba con su mano derecha el
movimiento propio de cuando se tira del gatillo⁶ de una
arma de fuego.

El profesor, recostado contra el tronco del arbolillo, había
15 oído con paciencia todos los desahogos. Comenzó a decir:

—Pues, yo opino de distinta manera. Sobre esta cuestión
de los naturales hay mucha tesis.⁷ De ellas⁸ voy a hablarles,
reservando para lo último la mía. Unos creen que es necesario colonizar con raza blanca los centros más compactos
20 de indígenas, para lograr la cruza. Los partidarios de esta
medida se fundan en que de esa cruza hemos salido nosotros, los mestizos, que somos el factor más importante y
progresista. Hacer con ellos lo mismo que con los animales
descastados: cruzarlos con ejemplares superiores.

25 Otros consideran que el problema puede ser resuelto por
medio de la escuela. Fundar escuelas por todas partes. Y
hasta se ha dicho que ya se ha logrado mucho, pero es que
en la ciudad se confunde, en la sola palabra "campesino," al
indio y al mestizo, sin pensar que éste, por su lengua y por
30 su inclinación, está con nosotros, mientras que aquél está
más allá de una fuerte barrera, la del idioma y sus tradiciones. Los que sostienen esta idea han creado la palabra

"incorporación," sólo que para ello hace falta algo más que la escuela.

El alcalde refutó:

—Ésas son ideas sentimentalistas. ¡Edúquese al indio y veremos después quién cultiva la tierra! De no extermi- 5 nársele,[9] es necesario dejarlo en el estado en que se halla, trabajando para los que física e intelectualmente somos superiores.[10] La prueba de que no son susceptibles a cualquiera acción pacífica, es que los de aquí han huído antes que acatar las disposiciones, que son de orden y justicia. 10

—Allá va mi teoría, señor presidente —dijo el profesor—. El hecho de que hayan huído[11] a lo más abrupto de la sierra, demuestra que no nos tienen confianza, que aun cuando se les hubiera dicho que sólo venía la autoridad a practicar una averiguación, de todas maneras no nos hu- 15 bieran esperado. Eso es la verdad: nos tienen una profunda desconfianza almacenada en siglos. Siempre los hemos engañado y ahora no creen más que en su desgracia. En cada uno de nosotros ven un verdugo. La escala de esa desconfianza la encuentra usted desde la tierra más baja, en el 20 valle, a la orilla de los ríos, hasta la cumbre más alta de las montañas. Cuando ellos eran libres vivieron donde nosotros vivimos ahora. A medida que se les explotó y se les engañó fueron subiendo por la sierra, como si huyeran de una inundación, hasta llegar donde ahora se hallan, ¡allá donde 25 creen que nosotros, hechos a la holganza, no podemos llegar!

—¿Y su teoría?

—Mi teoría radica en eso precisamente, en reintegrarles la confianza. ¿Cómo? A fuerza de obras benéficas, pues, 30 por fortuna, el indio es agradecido; tratándolos de distinta manera; atrayéndolos con una protección efectiva y no con

la que sólo ha tenido por mira conservarlos para sacarles el
sudor, como cuidamos al caballo que nos carga; y, para ello,
nada como las vías de comunicación, pero no las que van
de ciudad a ciudad, por el valle, sino las que enlacen las
5 rancherías; las carreteras enseñan el idioma, mejor que la
escuela; después el maestro, pero el maestro que conozca las
costumbres y el sentir del indio, no el que venga a enseñar
como si enseñara a los blancos. Con ello labrarán mejor la
tierra, la que ya tienen, o la que se les dé.

10   Unos gritos dados en el portal de una casa donde se había
instalado otro grupo de expedicionarios, cortó el ademán del
profesor, con que iba a seguir su disertación.[12] Todos dirigían los ojos a un claro que en la sierra más próxima parecía
un timbre postal. Algunos, ya preparaban sus armas para
15 hacer fuego. Era que un indígena cruzaba a todo correr
aquel campo: tal vez era un cazador.

El alcalde se levantó de un salto y alzando la mano por
sobre la cabeza, como para contener un golpe, les gritó a
sus hombres:

20   —¡No tiren! ¡No tiren!

Todas las miradas siguieron la morena figura que en la
sierra salía del campo despejado y ya entraba a la maleza.
Cuando el alcalde volvió a sentarse, dijo:

—Jamás me platicó de estas cosas, profesor. Su teoría ha
25 influído en mi ánimo, al grado de arrepentirme de esta persecución. Me duele la orden recibida de la superioridad y
ejecutada con tanto entusiasmo por mí. En la ciudad, según
he sabido, se habla mucho del sacrificio del blanco que vino
en busca de plantas medicinales para bien de la humanidad,
30 y que mataron los salvajes. Parece que hasta ya se piensa en
levantarle una estatua y darle su nombre a una calle. Sin
embargo, yo tengo la íntima convicción de que algo hicieron

ellos a los naturales, para que éstos se resolvieran a atacarlos, pues no se puede negar la paciencia de la raza, la raza nuestra, nuestra raza!

El secretario, al oír hablar así al presidente, dió un salto de donde se hallaba tendido y, plantándose nervioso ante 5 los demás, les dijo:

—¡No puedo menos que extrañarme del cambio registrado en usted, señor alcalde, sólo por las palabras del profesor! ¡También usted habla ya de la raza, de nuestra raza . . . ! ¡Será la de usted,[13] porque yo no tengo nada de ella! 10 ¿Dónde están las características de esa raza? ¡Son tribus! ¡Sí, señor, tribus aisladas, aunque numerosas!

El profesor, sin darse por vencido, comenzó a argumentar.

—El aislamiento en que se hallan por la inmensidad territorial, por la falta de vías de comunicación o por la im- 15 posibilidad de conservar lazos que destruyeron la ignorancia y la servidumbre,[14] no implica la destrucción racial. La raza, con sus tradiciones, tal vez desvirtuadas, con sus rasgos fisonómicos, con sus costumbres y con su espíritu, aunque un mucho debilitado por la servidumbre y el tutelaje explo- 20 tador, existe y sólo le falta que se la redima.[15]

—¡Palabras, hombre! ¿Cómo va a ser raza si los de aquí hablan una lengua distinta a la que hablan los que viven ocho jornadas al poniente y éstos no entienden el idioma —mejor dicho el dialecto— de los que habitan cincuenta 25 kilómetros al norte? ¡Son tribus!

—Descendientes de un solo tronco: una raza, aunque hablan distintas lenguas.

—¡Cuentos de viejas, profesor!

El alcalde, que ya no tomaba parte en la discusión, pare- 30 cía menos fatigado, pues ya no se hacía aire con el sombrero.

De pronto, se levantó y, ordenando que le llevaran [16] su

caballo, se dispuso a organizar el regreso. Los que habían dejado sus cabalgaduras en los diversos lugares de partida, tomaron sus veredas, mientras que el alcalde y los suyos se dirigieron al camino que habían traído, ya con la fresca de 5 la tarde, cuando el sol, maduro, caía más allá de la sierra.

SEGUNDA PARTE

6

SUMISIÓN

EN los callejones de la ranchería creció la hierba y luego
fué avanzando hasta las puertas de las casas, como si el
monte hubiera pretendido recuperar lo que los hombres le
usurparan hacía muchos años. En las noches de luna, el
caserío era el mismo de otros tiempos, pero el silencio re- 5
sultaba mucho más intenso: no se oía ni el cantar de un
gallo, ni el ladrar de un perro.

Y en una de esas noches de claridad, se oyeron prolonga-
dos gritos de un hombre. Los montes, donde las chozas y
las cuevas eran como las mil orejas de una tribu fugitiva, 10
escucharon el pregón, y guardaron silencio. Durante todo el
resto de la noche se oyeron los gritos y de ellos se entendían
algunos conceptos: paz, perdón.

Era un emisario de las autoridades, que proponía el regreso de los fugitivos. Sin duda en los montes hubo excita- 15
ción, curiosidad y esperanza de paz. Acaso, por en medio de
las espesuras fueron los viejos, los emisarios y los guerreros,
cambiando opiniones sobre la posibilidad de un arreglo.
Pero durante la noche no hubo uno solo de los fugitivos que
se presentara en la ranchería para entablar pláticas con el 20
enviado de los blancos.

Ya estaba alto el sol cuando uno de los viejos, no sin tomar grandes precauciones, asomó en el cercano monte, del
lado del arroyo, y fué al encuentro del emisario de paz.
Hablaron bajo el mismo cedro donde el consejo de ancianos 2!

resolvió escapar a los bosques con toda la tribu. El anciano le mostró sus ropas, todas desgarradas, porque durante el tiempo transcurrido las mujeres carecieron de algodón para sus telares. Después, señalando los campos, mostró al emi-
5 sario lo que antes fué tierra de labor, toda cubierta de hierba: ni una lanza de maíz, ni una mata de frijol.

El emisario, de la misma raza pero de otra ranchería, se dolió de la situación, entendiendo que lo dicho por el anciano era el lamento de una tribu que había sufrido hambre.
10 Explicó que su misión se había retrasado por las muchas dificultades tenidas para ponerse en contacto con la tribu: los del pueblo habían olvidado todo y la autoridad ya no reclamaba castigo alguno por la muerte del blanco.

El emisario no calló las verdaderas causas de las propo-
15 siciones de paz. Según lo que él había podido entender, los blancos necesitaban semaneros, los hacendados reclamaban trabajadores para sus trapiches de caña, los comerciantes se quejaban por la falta de compradores en el *tianguis* y los habitantes de las demás rancherías habían protestado porque
20 sólo ellos desempeñaban las faenas, en la compostura de caminos destruídos por las aguas: es decir, se les necesitaba y por ello se les proponía [1] la paz.

Para la experiencia del viejo, esas razones fueron más convincentes que todas las promesas de perdón. Consideró
25 factible el entendimiento. Su balance de intereses fué rápido y seguro: [2] si se les necesitaba, no habría dificultad ni temor.

Pero el viejo no resolvió inmediatamente. Dijo no tener autorización más que para oír. El emisario fué citado para la siguiente noche. Los dos hombres se despidieron fra-
30 ternalmente y mientras uno descendía por el camino, rumbo al valle, el otro subía por las veredas, hacia la cumbre.

Los dos fueron puntuales. Antes de que hablara el viejo,

el emisario le entregó un regalo de las autoridades, destinado a todos los ancianos: una botella de aguardiente. La respuesta de la tribu fué afirmativa, aceptando las proposiciones, con la condición de que los blancos no se acercaran, pues que todos los naturales guardaban desconfianza. 5

Ese mismo día comenzaron a regresar a sus casas, no sin sahumarlas previamente con copal, para arrojar de ellas los malos espíritus que se hubieran posesionado durante la prolongada ausencia de los moradores. Intenso trabajo de los hombres, para limpiar de hierbas los patios y los callejones. 10 ¡Qué afán de las mujeres, barriendo sus hogares!

Al siguiente día se recibió del pueblo una orden para que se presentaran unos semaneros a trabajar en las casas de los influyentes y para que otros fueran a trabajar en los trapiches de las haciendas. 15

Y como todos regresaron después de haber cumplido sus tareas sin que los blancos los perjudicaran, la confianza comenzó a crecer donde antes prosperaba la hierba. La tribu volvía a su vida tranquila de aislamiento.

* * *

Pero en lo económico, durante varios meses, la situación 20 varió muy poco, pues soportaron casi la misma miseria que en el monte. Los campos de labor habían estado sin cultivo y, por consiguiente, no cosecharon nada.

El maíz, conseguido a cambio de trabajo en los ranchos vecinos y en las haciendas, era mezclado con raíces molidas 25 y tronco más o menos tierno de papayo. Hubo necesidad de que pasara algún tiempo para que pudieran incluir en sus alimentos, regularmente, el frijol. Cuando vinieron las aguas y se llenaron las vainas, éstas fueron cosechadas con anticipación a la madurez. 30

Gracias a esas primeras siembras y a las lluvias venidas en su oportunidad, rectificaron su actitud numerosas familias que desde hacía algunas semanas preparaban la emigración, contra el fallo de los mismos viejos. Habían resuelto mar-
5 charse en busca de mejores tierras, más lejos de los blancos, al abrigo de alguna tribu amiga que hubiera sufrido menos.

Los viejos habían sostenido que sus dioses estaban en los cerros cuya presencia trataban de abandonar; dijeron de la victoria obtenida sobre los blancos, pues que éstos pidieron
10 la paz; enumeraron todos los augurios de las primeras lluvias y, por último, señalaron las tierras cultivadas ya: la esperanza de una buena cosecha.

Mientras tanto, los naturales buscaron, como en los días de la persecución, las frutas silvestres. Creció notablemente
15 la afición a la cacería. Y no pasaba un sol sin que numerosas familias buscaran en el río el sustento. De existir entonces más confianza,[3] todos se hubieran ido por el valle, en busca de trabajo, entre los mestizos, pero aun temían.

La tierra, más solvente que nunca, como para no desmen-
20 tir a los viejos, dió en una sola cosecha las [4] de tres siembras, sin más estímulo que una lluvia.

7

LA TABLA DE LA LEY

EL sol doraba la fachada del día domingo.[1] Por el caminejo cimarrón que baja de las sierras y corta el camino real hacia las vegas, se movía en serpenteo un zumbar de voces.

Bajo el monte, en la soledad, la caravana de palabras tenía resonancia de misterio, el mismo que sugiere un cromo alu-[5] sivo al día de difuntos y que es familiar en los hogares de las gentes del campo:[2] una caravana de ánimas, llevando ceras encendidas y palmas: caras dolientes, unas; semblantes resignados, otros.

Por los días en que se ofrenda a los muertos con manjares [10] propios de los que aun viven, esa estampa cómo influye en la fantasía de los niños:[3] pasa la caravana a través de los sueños y, cuántas veces, bajo la influencia de las consejas, se escucha al anochecer, en mitad del campo, el vocerío de los que caminan llevando ceras y palmas. [15]

Eso sugerían las voces de los que bajaban de las sierras hacia las vegas. Eran los espíritus de una raza. Al pasar más cerca, se apreciaban claramente las palabras de una lengua sin *erres,* una lengua fluida en ondulaciones de *eles.*

Caminaban de uno en fondo. Como iban descalzos, apenas [20] si las hojas secas, al romperse, denunciaban la prisa en la marcha.

* * *

Entre los jarillales, donde había claros de arena abrillantada por el sol y árboles de raíces cavadas por las últimas crecientes, se preparaban veinte familias para la pesca. Hombres, mujeres y niños alistaban sus enseres. En las piedras
5 orilleras eran afilados los chuzos, algunos arponados. Un viejo, en cuclillas, remendaba su atarraya. Los muchachos ponían en el extremo de sus carrizos un pedazo de alambre puntiagudo. Las mujeres daban de mamar a sus hijos. Otras ya los habían instalado a la sombra de los chaparrales, anu-
10 dándose después a la cintura el ayate con que pensaran recoger la plata escamada de una trucha.

Casi desnudos todos. Así fueron, tal vez, los viejos *matlazincas,* los de la red, en las andanzas inciertas de hace siglos.

15 Río abajo se oía el ruido de una cascada. Río arriba, la chorrera les hacía flecos a las espaldas de las aguas. Frente a los pescadores estaba el lugar propicio a los escasos recursos, donde el agua, por derramarse un poco, tenía escasa profundidad.

20 Todos sabían que los mejores peces, a esa hora, retozaban donde la corriente era más fuerte. Río arriba, sin duda, las truchas formaban verdaderos bancos, los bobos se alineaban en escuadras y la lisa chapoteaba a flor de agua. En cambio, donde ellos iban a pescar, el resultado tendría que ser pobre,
25 como sus recursos. Se conformarían con la mojarra espinosa y con el charal. Antes de iniciar sus trabajos, se quedaron mirando, codiciosos, la chorrera.

Un joven de mirada audaz confesó que él era poseedor de un cartucho de dinamita, indicando la conveniencia de
30 aventurarse. Pero los viejos se opusieron resueltamente, volviéndose a un cantil cercano en cuya parte superior pendía una tabla.

Ya les habían explicado el contenido de la tabla. Era una prohibición y, hechos a la obediencia, no querían contravenirla, temerosos del castigo. El rubro decía:

"Por orden de la autoridad se prohibe pescar con dinamita dentro de esta jurisdicción, advirtiéndose a los infractores, que serán castigados con quince días de cárcel o con multa de veinticinco pesos.—El Presidente Municipal."

Siguió un largo silencio meditativo y, por fin, un viejo *tlachisqui,* un vidente, se acercó hasta la orilla. Puso los brazos en línea horizontal, hacia adelante, y mirando fijamente al sol, musitó un ruego:

—Padre de lo que tiene vida y de lo que no vive: señor de la tierra, del agua, del viento y del fuego: si das de comer al cuervo, a la víbora y al tigre, ¡dame unos pescados para mis hijos y para los hijos de mis hijos. . . !

Avanzó hasta donde el agua le llegaba a la rodilla y, tomando una botella que su mujer le entregara, habló cara a cara con la corriente:

—Tú sigues tu camino y nosotros somos hormigas que nos quedamos aquí: ahora que tu semblante es tranquilo, escúchame. . .

En la oración sonó la palabra *hueyeatl,* el mar, padre de los ríos. El viejo, medio tapó con un dedo la boca de la botella, dejando caer algunas gotas de aguardiente en las aguas. Después bebió él. Fué como una alianza hecha en un brindis. Y todos avanzaron resueltamente río adentro.

Fueron apenas los preparativos de la pesca. Principiaron por escoger el vado más bajo, donde el agua daba a medio muslo. En un afanoso acarreo y amontonamiento de piedras, se ocuparon los más fuertes. Los viejos aseguraban con ramas y lodo los improvisados *tecorrales.* Las mujeres y los muchachos llevaban jarrillas con que suplir en las partes

orilleras las cercas de piedra. De trecho en trecho, la valla
tenía estrechas compuertas por las que[4] el agua tomaba
mayor velocidad.

La obra principal había quedado terminada. En las com-
5 puertas se instalaron los hombres provistos de redes. En los
extremos de la valla, cubriendo los sitios por donde podían
escapar los peces más perseguidos, se instalaron los viejos y
los muchachos. Los hombres y las mujeres —hombrunas—
fueron por el pedregal y, donde consideraron que el agua les
10 daría al pecho, se alinearon perpendicularmente al curso del
río.

Comenzó el arreo. Era una hilera chapoteante. Iban mujeres y hombres casi juntos. Los que esgrimían chuzos,
hurgaban en las grandes piedras, espantando las mojarras
15 morosas. Algunos hundían en las aguas bordones nuevos,
libres de cáscara, para que la blancura de la madera fuera
eficaz espantajo.

Los que portaban atarrayas eran los más alertos: con el
centro de la red entre los dientes y la orla sobre el antebrazo,
20 listos para lanzarla en cuanto se pusiera a tiro una presa.
Acorralados, los peces comenzaban a pasar, a virar, girando
como pequeñas sombras bajo el agua. Un joven lanzó de
pronto su carrizo, el cual, tras algunas nerviosas sacudidas,
comenzó a cortar el agua casi perpendicularmente a la
25 superficie.

¡Qué gritería! Todos sabían que la vara iba prendida a
un pez de regular tamaño, capaz de soportar el peso de
la caña.

Bien pronto el animal azotó la superficie en rápidas vol-
30 teretas. El hombre, una vez que le hubo metido un dedo
en las agallas, le mordió la cabeza para liquidarlo, arrancán-
dole el arpón no sin un desgarramiento de carne blanquecina.

Los de las compuertas [5] comenzaron a levantar con más frecuencia sus redes, de las que extraían los peces, para echarlos a los morrales.

Las atarrayas eran lanzadas y al ser recogidas extraían abundantes racimos de peces, que, sin embargo, eran pocos [5] en proporción a los muchos pescadores.

Y llegó la hora del reparto. Cada quien fué depositando su cosecha en un hoyanco hecho en la arena de la orilla. El viejo *tlachisqui,* en cuclillas, fué apartando el pescado grande. Todos habían contribuído y todos participarían. El [10] viejo repartió según la aportación y según las necesidades de cada uno. Los jefes de familia recibieron por ellos,[6] por sus mujeres y por sus hijos.

* * *

La tribu toda se quedó inmóvil, con la mirada puesta en el cantil. Estaban a la vista unos jinetes. Cuando éstos [15] bajaron de sus caballos, entre las mujeres y los hijos de los pescadores, hubo un ímpetu de fuga hacia las más cercanas breñas.

Por los dispositivos que tomaron los recién llegados, los naturales comprendieron, desde luego, que aquellos iban a [20] echar dinamita al río. El asombro fué mayor precisamente porque ellos sabían que estaba prohibido, pues que así lo rezaba la tabla puesta en el cantil, según se lo habían explicado. Pero los recién llegados, acaso comprendiendo la causa del asombro de quienes los miraban a distancia, y [25] para no dar un mal ejemplo, voltearon la tabla por el lado, en que decia:

"Por orden de la autoridad, durante media hora, se permite pescar con dinamita en esta jurisdicción.—El Presidente Municipal." [30]

La tribu entendió, con ese acto tan sólo, que los recién llegados eran la misma autoridad, pues ya sabían que sólo ella [7] contaba con el poder suficiente para voltear la tabla. Ya con esa seguridad, los viejos se acercaron. ¡Qué gesto de protección y de superioridad de parte de los funcionarios! ¡Qué lastimosa humildad de parte de los naturales! El resto de la tribu veía desde lejos: caras azoradas entre los matorrales de la ribera.

Quien iba con la autoridad —supusieron— era un alto personaje, pues sabían que las pescas en esa forma eran casi siempre en honor de muy distinguidos visitantes. Cuando algunos de los naturales estuvieron listos para recoger las víctimas de la explosión, los cartuchos de dinamita, debidamente preparados, fueron prendidos por la mecha en los cigarros, y lanzados de trecho en trecho.

Tres estallidos. Tres enormes chichones se alzaron de la corriente, tan altos que, el agua, al descender pulverizada, fué barrida por el viento como fina llovizna. Blanquearon los peces muertos, grandes y chicos. Con el procedimiento —explicó el Presidente Municipal— se mueren hasta las crías; por ello era la prohibición—, pero tratándose de unos visitantes tan distinguidos. . .

¡Pesca tan abundante y seleccionada! Invitados por el sol y la delicia del agua, el alcalde y su huésped se bañaron también. Al querer nadar, pateaban grotescamente, apoyándose con las manos en las piedras del fondo.

Antes de marcharse la comitiva, la tabla fué volteada, otra vez, del lado que decía: "Por orden de la autoridad se prohibe. . ." El *tlachisqui* y los suyos se quedaron mirando hacia el cantil, en silencio, haciendo tal vez un análisis de la desigualdad.

8

EL CONSEJO DE ANCIANOS

LA primera reunión de los viejos fué para conocer de un caso muy importante, aunque absolutamente doméstico: el motivo de reyerta que dividía a tres familias. El hecho de que la reunión fuera [1] en la casa de uno de los ancianos, denotaba que el asunto a debate era dudoso. Es costumbre [5] entre ellos que, cuando el caso se halla completamente definido y el fallo no amerita discusión, se reunan [2] en la casa de aquel que merece la justicia, que visiblemente tiene la razón.

En algunas ocasiones sumamente claras, el fallo se reduce [10] a la visita de los viejos. La parte contraria se declara derrotada y ni siquiera se presenta a defender su causa.

Pero en aquella vez ninguna de las tres casas en pugna recibió la visita. Por respeto a sus años y a sus antecedentes, los jueces tomaron como lugar de cita la casa del más viejo [15] de los *huehues*. Este ofreció a sus visitantes pequeños bancos de madera. Al ir y venir atendiendo a sus huéspedes, le campaneaban los anchos calzones de manta por sobre los pies descalzos. Ya tenía la cabeza completamente blanca y la cara enjuta. Era el patriarca de la ranchería. [20]

Habían llegado también otros hombres que, propiamente, no podían ser considerados como ancianos, dada la longevidad de la raza, pero que habían sido *tequihuis,* funcionarios, y ese sólo hecho los acreditaba como integrantes del consejo. Eran los que en años anteriores, por designación de las autoridades del distrito, habían cobrado la contribución personal, habían transmitido las órdenes para el desempeño de trabajos y encarcelado a más de un renuente.

5 Los viejos guardaban silencio. Cuando llegaron las tres partes en pugna, los familiares del jefe de la casa se salieron para no escuchar los alegatos. Los tres hombres que iban a dirimir su caso ante el consejo, se mantuvieron de pie a un lado de la puerta. Uno de ellos fué el que expuso completa-
10 mente el caso, en voz baja.

—Este hermano mío, —comenzó a explicar— cuando mi hija cumplió los doce años, llegó una noche a pedírmela en matrimonio, para su hijo. Ustedes bien saben que el *telpócatl,* el hijo de este amigo mío, era sano, hermoso y
15 trabajador. Yo no podía negarle a mi *ixpócatl,* mi hija que, como ustedes saben, es bella y hacendosa. Acepté, pues, el *tlapalole:* dos gallinas, dos cuartillos de frijol, una jícara, un pañuelo y una botella de aguardiente, de la que tomamos una copa él, su mujer, mi mujer y yo, quedando cerrado el
20 compromiso de que nuestros hijos se casarían.[3] Pero no pudieron casarse porque el muchacho, como ustedes saben, tuvo la desgracia de romperse las piernas cuando los tres blancos que estuvieron aquí a buscar oro y plantas medicinales le dieron tormento en el cerro. El hecho es tan cono-
25 cido que bien podía no mencionarlo: por él dimos muerte al blanco, por eso nos persiguieron y tuvimos que huir a los montes. . . El muchacho sigue sin poder trabajar y tal vez nunca pueda hacerlo. Mi hermano y yo convinimos en esperar, porque bien sabemos que nuestros hijos se quieren.
30 Desgraciadamente, el tiempo se ha ido y el muchacho apenas si puede dar paso, reducido a la mitad de su tamaño, con

las piernas torcidas como unas raíces quemadas y secas,
encogido como una araña: ¡él, que era tan bello y fuerte!

El padre del muchacho en desgracia decía con sus movimientos de cabeza, más que con los labios:

—Todo es verdad.   5

Y argumentó:

—Pero sanará. Además, precisamente por estar como
está,[4] necesita una compañera. Ustedes, los jueces de mi
tribu, le harán justicia porque fueron ustedes los que lo
mandaron a servir de guía a los blancos, que le dieron 10
tormento y lo echaron por la pendiente, a la desventura. Yo
trabajaré, mientras mi hijo siga enfermo, ¡para él y para ella!

Los viejos parecían estatuas, inmóviles. Por sobre sus
cabezas se miraban los tres hombres que intervenían en el
juicio.   15

El padre de la muchacha en disputa siguió explicando:

—Así las cosas, una noche, llegó éste mi otro hermano y
amigo, a decirme: "Tu hija no podrá casarse con quien está
comprometida, porque él no puede trabajar. ¿Cómo va a
mantenerla? ¿Tú vas a sostener a los nietos, si los tienes? 20
¡Por tu hija, por él, por los hijos de ellos, no deben casarse!
Dame la muchacha para que se case con mi hijo: él es
fuerte y trabajador. Además, dime, ¿quién le iguala en la
cacería? Yo, como ya lo sabes, tengo mis bienes". . . Y
al mismo tiempo que eso me decía éste mi otro hermano, 2.
ordenó a su mujer que me entregara su *tlapalole:* dos
gallinas, dos cuartillos de frijol, una jícara, un pañuelo y
una botella de aguardiente. Yo quise oponerme porque ni
yo ni mi hija éramos libres para contraer otro compromiso,
pero éste mi hermano se fué dejando sus regalos. Y, ahora que 30
estamos aquí los tres, ante ustedes los *huehues,* quiero que me

digan a quién debo regresar los obsequios que representan el compromiso: si a éste o a aquél. Afuera está mi mujer con todo lo que debo reintegrar a quien ustedes señalen. Que la experiencia resuelva, pues no quiero que por causa mía y de mi hija, sigan mirándose mal estos hermanos míos. Yo haré lo que la experiencia diga. . .

Los viejos meditaban. Uno de ellos fué a atizar la lumbre, que ya se extinguía. Habló el padre del muchacho lisiado.

—Mi hijo está en desgracia, es verdad, pero lo está por culpa de ustedes, ancianos, y tiene derecho a la hija de mi amigo. ¡Qué! ¿el palomo herido no tiene compañera? Si no puede trabajar, yo trabajaré por él. ¡Este hombre, sólo porque es rico entre nosotros, que somos pobres, ha humillado mi casa, pasando por sobre el *tlapalole* de mi hijo! Si eso pensaba hacer, su hijo no debió haber avisado [5] que mi muchacho estaba herido al pie del cerro. ¡Tal vez lo salvó de que lo devoraran los zopilotes o las fieras, sólo para cobrar el servicio, robándole a la mujer! [6] ¡Pido justicia, *huehues* de mi raza, padres míos!

El ofendido revelaba más su indignación con su actitud de cabeza echada hacia atrás, que con sus palabras.

El aludido respondió:

—Lo que han oído, ancianos, es la verdad, menos por lo que hace al ultraje de que se me acusa.[7] Yo pedí a la hija de mi amigo, para mi hijo, porque considero que ella merece un hombre que pueda sostenerla y defenderla. El hijo de mi hermano, en desgracia ahora, era como el mío, o mejor; pero ya no es lo que fué. Si los blancos no hubieran atormentado al muchacho, yo me hubiera dirigido a otra parte, en busca de nuera, pero las circunstancias me obligan a preguntarles, ancianos: ¿quieren aumentar el número de los huérfanos que dejó la última epidemia? Han oído, pues, las tres razones y, ahora, a ustedes les corresponde fallar: yo acato lo que los viejos de mi raza digan. . .

* * *

Y habló el más viejo de los viejos.

—Yo opino que este caso es lamentable. El muchacho en desgracia, por culpa nuestra, según dice este hermano, tiene derecho a la vida y a sus dones. El padre del joven está en su derecho al defender el corazón de su hijo. Pero nosotros debemos resolver, mirando allá adelante, como si fuéramos por un camino desconocido. Lo que voy a decir causará una víctima y un dolor por toda la vida, si es que mis hermanos los viejos no resuelven otra cosa: es mejor que haya una y no muchas víctimas. La muchacha debe casarse con el pretendiente sano, porque él garantiza la familia.

Todos los viejos aprobaron con una inclinación de cabeza y ya no fueron necesarias más palabras. El padre de la muchacha en disputa salió al portal y regresó llevando en las manos los regalos o los equivalentes, que recibiera hacía mucho tiempo.

El padre del joven lisiado, contra quien falló el consejo, recibió los símbolos del compromiso matrimonial, sin decir palabra: las gallinas, la abundancia; [8] el frijol, el manjar; la jícara, el agua en lluvia y en iris y en salud; [9] el pañuelo, la prenda; y el aguardiente, la alegría.

Así, en silencio, miró altivamente a su rival, después a los viejos y, a largos pasos, salió hacia la noche ya huérfana de luna.

9

MÚSICA, DANZA, Y ALCOHOL

COMENZÓ a oírse el sonar de un tambor por la pedregosa cañada que entonces era un camino y que en los días de lluvia es el cauce del arroyo. Era un golpe seco, monótono, parecido al que en algunas tribus habla de la guerra. Las
5 mujeres y los muchachos salieron a todo correr, con la actitud de quien huye.

Los primeros en aparecer fueron algunos hombres que quitaban los que podían ser estorbos [1] en el pedregal: un tronco, las piedras más grandes y las hierbas crecidas du-
10 rante los meses de sequía. Después ya se vió al viejo que tocaba el tambor.

Eran los que llegaban conduciendo a cuestas el mástil para el *patlancuáhuitl* o *volador*,[2] escogido y cortado en lo más espeso de los bosques, en la sierra. Apareció, por fin,
15 todo el compacto grupo, formado por los organizadores de la fiesta, que eran todos los hombres aptos, quienes bajo las instrucciones de los *topilis*,[3] se apiñaban, presentando el hombro, en el centro y en los extremos del largo y recto tronco: eran como grandes y morenas hormigas llevando
20 en peso un trozo de madera hacia el nido.

En las primeras casas se hallaba el joven lisiado, el que antes fuera arrogante y fuerte y que por haber servido de guía a los buscadores de oro quedó inválido. Reía como un niño que se promete una diversión, pero bien pronto su rostro se fué contrayendo con un dolor que no era corporal. Entre los que más gritaban había descubierto a su rival, el mismo que lo hallara abandonado en el monte y el mismo que le arrebató a la que iba a ser su compañera.

Antes de su desgracia él había ido con todos los demás, año tras año, a cortar en los montes el *volador*. Era un afanoso buscar entre los árboles más altos y más rectos, hasta que los viejos se decidían por alguno. Y antes de recurrir a las hachas, el árbol recibía toda una consagración: comenzaban a sonar el tambor y la chirimía. El *tlachisqui* hablaba a las ramas, para que no fueran a tomar venganza al caer como pesados golpes de mano a la hora de ser cortadas; al tronco, para que fuera grato a los que a la hora de la fiesta se jugarían la vida, danzando en lo más alto; y, por último, a las raíces, para aplacar su enojo por la mutilación.

Cuando el *tlachisqui* echaba un chorro de aguardiente en la tierra, era dado el primer golpe de hacha. Todo un ceremonial. El lisiado fué siempre de los más entusiastas y entre los de su edad ninguno como él a la hora de la fiesta. Por eso su dolor al verse imposibilitado no tan sólo para tomar parte en los preparativos de la fiesta, sino hasta para los juegos tradicionales de la danza.

Pasaron rumbo a la pequeña plaza los que conducían el *volador*. Era una alegre gritería. Y el lisiado los miraba como una araña que apenas se atreve a sacar la cabeza a la puerta de su agujero. A poco dejó de sonar el tambor. Era que habían llegado.

* * *

Por la tarde y por la noche siguieron los preparativos de la fiesta: las mujeres barrían los patios de sus casas; algunos individuos limpiaban la pequeña plaza y la galera del *tian-*

guis; otros adornaban con flores y palmas la casa en que oficiaría el cura, a falta de una iglesia; y una media centena de los más fuertes levantaban el largo tronco para el número más espectacular de los festejos.

5 Por la mañana la fiesta se inició con la consagración del *volador.* Tenía enrollado de extremo a extremo un grueso cable, cuyas vueltas servían de escalera. En su base estaba sostenido por gruesos puntales que hacían veces de cuñas. En su extremo superior mostraba una especie de banquillo, 10 sostenido en grueso carrete, a la altura del cual pendía un cuadrado.

El viejo *tlachisqui,* en esos momentos con más de sacerdote que de vidente, hizo una señal al músico, y comenzó la melodía peculiar del acto. El músico tocaba al mismo 15 tiempo el tambor, colgado al cuello por una cuerda, y la chirimía que era manejada con una sola mano. La música atrajo a los naturales como la campana a las colmenas. El viejo se inclinó al pie del tronco, en la actitud de intentar cortarlo nuevamente. Su oración fué pidiendo benevolencia 20 por los que iban a danzar en la cúspide. Después se dirigió al sol, para que no fuera a cegarlos. Luego, a los vientos, para que no fueran a soplar tan fuertemente que los derribaran. Y, por último, a los espíritus de los que han sido los más notables *cuatotótls,* hombres del *volador,* para que 25 protegieran a sus hermanos en la altura.

Al pie del tronco fueron colocadas las ofrendas: comestibles y ramos de *cempoalxóchitl.* La tierra fué regada con aguardiente, y el sacerdote bebió del mismo licor. La multitud se aglomeró para ver lo que era la iniciación de la 30 fiesta. El sol ya se había alzado en los flancos del día pleno. Y entonces la chirimía y el tambor dejaron su aire litúrgico para adoptar un compás animado, casi alegre.

Por entre la multitud ya apiñada se abrieron paso los que iban a tomar parte en la danza. El primero en subir fué un joven que lucía, atados en la cabeza y en las manos, unos pañuelos de vivos colores. Vestía calzón y camisa de manta muy blanca. Subió a grandes zancadas, apoyándose en las 5 vueltas del cable que se enredaba al mástil como enorme culebra. Al llegar a la cúspide se sentó en el banco, esperando que subieran los demás partícipes en la danza.

El segundo en llegar fué el de la chirimía y el tambor. Después tres jóvenes. Ocuparon los lados del cuadrado, no 10 sin antes atarse a la cintura los extremos de los cables enrollados en el carrete del cual pendían sus improvisados e inseguros asientos.

Tambor y chirimía comenzaron a sonar. Las miradas de toda la multitud estaban puestas en el que, sentado en la 15 parte más alta, ya hacía intento de levantarse. Cuando se alzó, la música se antojaba [5] más fuerte, tan grande era el silencio que reinaba abajo. El hombre comenzó a danzar, dando saltos sobre una superficie en la que apenas si cabían las plantas de sus pies. Según la música, se inclinaba 20 hacia los cuatro puntos cardinales, pasaba los pañuelos que tenía en las manos por sobre las cabezas de sus camaradas, como si al hacerlo les dijera un secreto y, luego, saltaba tan alto que a cada vez se pensaba en la muerte. De vez en cuando emitía un alarido que era contestado por los que 25 estaban también en la altura.

Al terminar la danza, el de la cúspide volvió a sentarse en el pequeño banco. El de la chirimía y del tambor, comenzó a bajar por la escala hecha con las vueltas del cable. Y el sitio que el otro dejó libre fué ocupado por el bailarín, quien 30 se ató el lazo libre, a la cintura. Cuando volvió a sonar la música, los cuatro hombres se lanzaron al vacío. El carrete

comenzó a dar vueltas, y los lazos comenzaron a desenrollarse. A medida que giraban, los círculos iban haciéndose
más grandes. Los *voladores,* con la cabeza hacia abajo y con
los brazos abiertos como las alas de un pájaro, parecían la
5 reencarnación del viejo anhelo de volar.

De vez en cuando lanzaban gritos, como las águilas, a los
que respondía la multitud entusiasmada. La música era
rápida como el giro de los *voladores.* El objeto de éstos, en
los casos fatales, es el de atrapar en la caída, al que, a la hora
10 de la danza, se expone en lo más alto.

Cuando estuvieron en tierra, fueron agasajados con un
trago de aguardiente e invitados a comer, pues entre los
rituales para el *volador* figura, en primer lugar, el ayuno.

* * *

Pasadas algunas horas el *volador* fué tan sólo una de las
15 diversiones en la fiesta, sin duda la más espectacular. Los
danzantes, capitaneados por un hombre que esgrimía un
machete y daba órdenes a gritos, bailaban frente a la casa
donde se había improvisado la iglesia.

Más que por la danza, frente a la casa se aglomeraba la
20 multitud porque el cura había comenzado a oficiar.[6] Sólo
cada año [7] visitaba la ranchería y eran muchos los padres
que deseaban bautizar a sus hijos y muchos los jóvenes
deseosos de contraer matrimonio.

Entre las parejas que esperaban su turno para el matri-
25 monio, se hallaba una de la que no quitaba los ojos un
lisiado medio oculto tras una cerca de piedra. La muchacha,
con sus cabellos untados en dos ondas sobre las orejas y
hacia la nuca, con su camisa bordada y con la falda de
algodón que lucía un ancho labrado de estambre, estaba

El hombre comenzó a danzar. . .

más bella que nunca. En las manos sostenía una jícara, como si en ella hubiera querido echar las lágrimas de sus ojos humillados. El hombre portaba un sombrero nuevo, de palma, ropa muy blanca, al cuello un pañuelo rojo y al hombro una tilma.   5

El lisiado los miraba desde lejos, con una tristeza tan grande como es grande la aparente indiferencia de la raza. Veía cómo, tras haber salido algunas parejas, ya entraba la que para él era el motivo de su vigilancia. La muchacha iba con los ojos bajos, con andar menudo, tras su hombre.   10

Sin duda supuso la escena que se desarrollaba frente al cura y antes de que la pareja saliera, se retiró hacia su casa, apoyándose en su burda muleta: la pierna izquierda, completamente encogida, le daba la actitud de una persona que va a arrodillarse, pues el muslo casi tocaba el talón —y era la 15 pierna mejor—, la que sostenía el cuerpo, pues la otra, torcida hacia delante, a cada salto del bordón ejecutaba un movimiento circular.

La araña iba a meterse a su agujero, dolida de su propio veneno, mientras los otros gritaban alegres y borrachos, 20 danzando.

* * *

Donde había más contento era donde se estaba celebrando el *tianguistli*. Había muchos vendedores de manta y de baratijas, pero eran muchos más los que habían instalado sus puestos de aguardiente. Éstos, para atraer compradores, 25 comenzaban por darles una prueba, y momentos después ya no podían atender tantas demandas. Eran incontables los individuos, especialmente adultos, con todos los síntomas de la embriaguez. Hablaban, discutían y provocaban riñas. El mutismo tradicional había desaparecido bajo la acción del alcohol. Bien pronto, hasta los más alegres, rompían a llorar. De ellos, los más escandalosos fueron llevados en calidad de presos a la cárcel improvisada en una troje vieja, para que al otro día barrieran la basura en la plaza y en los callejones.

El giro que tomó la fiesta fué como la historia de cuatro siglos: primero las danzas, la música, el *volador,* en una palabra, la tradición; y luego, el alcohol. Había hombres tirados como cerdos gordos, a las puertas de las casas. Eran algunos viejos *tequihuis* que, validos de su impunidad, escandalizaron, atropellaron, se pusieron a llorar y, por último, fueron a caer en cualquier sitio, a dormir.

* * *

El baile, al son de un violín y el arpa, se inició a la salida de la luna, en la galera del *tianguis.* En los horcones había candiles de gruesos mecheros. Los bailes predilectos eran el *xochipitzahua,* o flor menuda, y el *zacamandú.*

Las mujeres bailaban recatadamente, con los ojos bajos, pasos menudos, extendiendo por delante sus faldas todas llenas de labrados, como si fueran a recibir en ellas toda una cosecha de frutas. Los hombres, calzando sus *huaraches* nuevos, pateaban fuertemente, avanzando, retrocediendo y evolucionando en torno de la mujer. De vez en cuando alguien alzaba el grito para cantar.

Los grupos más animados permanecieron junto a las ventas de aguardiente. En uno de esos grupos se discutía acerca de la superioridad de los lugareños, respecto a sus vecinos, para la danza del *volador.* Como todos portaban sus largos machetes prendidos de la cintura, indicio de valimiento y adorno en las grandes festividades, los ánimos se violentaron rápidamente y comenzó una pelea en que sólo la habilidad logró el milagro de que no fuera más la sangre derramada.

Al amanecer fueron identificados tres cadáveres con espantosas mutilaciones de brazos.

5

10

SUPERSTICIÓN

EN la penumbra del amanecer, por un pardo callejón de la ranchería, salió un hombre de andar impaciente, como el que va de prisa en busca del mejor remedio para curar al familiar gravemente enfermo. *honey man*

5   El hombre iba en busca del *necténquetl,* el que tiene miel, nombre que se daba al curandero, pero cuya fama, regada por toda la comarca, dimanaba, más que de sus colmenas, de sus misteriosas y temidas actividades en la brujería.

El caminante, además del machete ceñido a la cintura, del
10 morral con el bastimento para el medio día y de los *huaraches* atados al lazo del morral, llevaba los presentes para poder solicitar los servicios del brujo: una gallina, unos huevos y una botella de aguardiente. De sus honorarios ya hablaría con el personaje.

15 En pleno día, el camino iba desdoblándose en cuestas, hondonadas y pendientes. A pesar de sus años, el caminante apenas si resoplaba al vencer las más pronunciadas ascensiones. Después de un enorme rodeo a un cerro, la ranchería apareció junto al arroyo que pasaba casi por en
20 medio de las casas pajizas.

Cuando llegó, el brujo se ocupaba en una encarnizada *fierce* lucha con las hormigas *tepehuas,*[1] en defensa de sus col- *beehive* menas. Inesperadamente, cuando él se hallaba en su campo de labor, fué avisado de que las colmenas estaban siendo
25 destrozadas por las invasoras.

Las hormigas llegan repentinamente, en largas y negras hileras que trepan por los sostenes del colmenar, se meten a los cajones y principian la lucha. El objetivo de ellas es el saqueo de cuanto tiene la congregación de las abejas, es decir, cera y miel. El mejor recurso es el fuego: con grandes [5] hachones de zacate, es fácil cortar las columnas de hormigas, quemarlas ya una vez dispersas y rechazar a los contingentes que aún no han penetrado al colmenar.

El visitante prestó valiosa ayuda al brujo, así como las mujeres, que bien pronto se aprestaron también a la de- [10] fensa. El piso se hallaba cubierto de cadáveres, confundidos los defensores y los atacantes.

El casero ordenó a una de las mujeres que llevara [2] un banco para el huésped. Y los dos hombres tomaron asiento a la sombra de uno de los árboles del patio. [15]

El visitante, antes de formular su solicitud, puso en manos del brujo los presentes. El sólo hecho de que los recibiera significaba hallarse [3] dispuesto a escuchar. Al parecer, la ayuda recibida en la lucha contra las *tepehuas* le había dis- puesto favorablemente al peticionario, pues destapó la bo- [20] tella e hizo que bebiera un trago. Él se excusó diciendo que bebería después de haber terminado sus trabajos con las colmenas, porque éstas son refractarias al alcohol y se en- furecen con sólo olfatearlo, mientras que no tomándolo se las puede manejar confiadamente. O, tal vez, creía que se [25] trataba de envenenarlo con el regalo.

El visitante expuso su deseo: que se le protegiera con las mismas armas con que se le estaba atacando, pues que el brujo de su ranchería, al servicio de un enemigo, comenzaba a embrujarlo. El día anterior, en el patio de su casa, observó [30] que la tierra estaba recientemente removida y, cediendo más al temor y a una sospecha, que a la curiosidad, se puso a

cavar en el mismo sitio, desenterrando tres muñecos de *cua-*
ámatl, papel de madera, todos atravesados por espinas. Además, extrajo tres huevos de gallina, pintados de negro, y tres
cempoalxóchitl, la flor de muerto.

Y explicó los antecedentes en que fundaba sus sospechas:
un vecino suyo había pedido para su hijo una muchacha
que aún permaneció soltera por mucho tiempo, en vista de
que el joven había quedado imposibilitado para el trabajo:
unos blancos lo arrojaron desde una gran altura y al rodar
por la pendiente se rompió las piernas. Como los jóvenes
comprometidos no podían casarse, él pidió la misma muchacha para su hijo; del caso conocieron los viejos de la
ranchería y ellos fallaron favorablemente a sus intereses,
pero la resolución disgustó al padre del lisiado, quien se
había convertido en su mortal enemigo. Agregó:

—Él es quien me busca el daño.[4]

El brujo pidió entonces una descripción detallada de los
muñecos de *cua-ámatl.* El cliente dijo que una de las figuras,
con una espina clavada en el corazón, otra en la cabeza y
muchas en los brazos y piernas, era cerrada hasta los pies;
mientras que dos de las figuras, igualmente heridas con espinas, eran abiertas hasta la entrepierna.

La opinión del brujo fué definitiva:

—Es ése tu enemigo el que te busca el mal: la figura
cerrada hasta los pies, es tu mujer; las figuras abiertas hasta
la entrepierna, son tu hijo y tú. Contra la muchacha no in-
tentan nada porque tienen la esperanza de que al quedar
sola. . .

—Por eso he venido. Dame tu protección y devuélveles el
mal a mis enemigos. Tú eres fuerte, tu nombre corre por
toda la tierra y yo soy como una de las hormigas que hemos

quemado, pero tengo con qué[5] pagar tus servicios. ¡Mientras estés en mi casa serás tratado como tú lo mereces!

El brujo aceptó. Después de haber terminado sus trabajos en el colmenar, dió instrucciones a su mujer y, cogiendo lo necesario para sus artes, tomó el camino, seguido de su[5] cliente.

* * *

A puerta cerrada, el brujo inició sus trabajos encendiendo cuatro ceras de las que había llevado:[6] representaban a los cuatro componentes de la familia. Según el orden en que se consumieran sería la duración de aquellas cuatro vidas[10] amenazadas por los enemigos.

Después prendió tres ceras, sólo que de revés, es decir, por la base: una contra el brujo rival, otra contra el enemigo y la tercera contra el hijo:[7] que el fuego del mal los consumiera[8] de pies a cabeza, para que sufrieran más. Y mientras[15] ardían las ceras dando a la casa una gran luminosidad, el brujo procedió a auscultar en los recursos de sus enemigos.

Arrojó al fuego un pedazo de alumbre. Con el calor, la sal adquirió una rara conformación que, según el brujo, no era otra cosa que el muchacho lisiado; y, en verdad, que[9] la[20] figura era como un busto sostenido por unas piernas deformes. Tal descubrimiento vino a confirmar las sospechas y ya nadie abrigó la menor duda. En un rincón de la casa, las dos mujeres veían todo con grandes ojos asombrados. A medida que el brujo observaba el extraño muñeco, expli-[25] cando a la vez sus observaciones, el asombro crecía.

—El brujo que ayuda a tu enemigo, es *nahual*,[10] es decir, es poderoso, porque bien puede abandonar su figura de gente para convertirse en lo que él quiera. . .

Tomó las tres figuras claveteadas de espinas y, lentamente, les fué arrancando lo que en los presentes había sido causa de fuertes dolencias. Todos respiraron con satisfacción, como al arrancarse una muela molesta, cuando las espinas queda-
5 ron amontonadas a un lado. La satisfacción fué mayor cuando el brujo tapó todas las heridas de los muñecos con la cera que escurría, en lágrimas, precisamente de las ceras que representaban las cuatro vidas de la familia.

El mal había sido quitado. Procedió entonces a recortar
10 tres figuras, con el papel especial que llevara. Las tres figuras eran masculinas y en ellas comenzó a clavar las mismas espinas arrancadas de las otras estampas, provocando una sonrisa de airada alegría entre sus espectadores.

Tomó todos sus enseres, los colocó en su morral y, al dis-
15 ponerse a salir, hizo una indicación a los dos hombres de la casa, para que lo siguieran. El más joven se colocó el machete a la cintura. El viejo tomó su sombrero. Los tres salieron silenciosamente a la noche adulta.

Al pasar junto a la casa de sus enemigos, se detuvieron
20 escuchando. No se oía un solo ruido. Ni siquiera los perros los habían olfateado o, acaso reconociéndolos como de la ranchería, no daban la menor señal de hostilidad. Con una gran cautela, el brujo cavó la tierra con el machete de su acompañante, hasta lograr un agujero de un decímetro
25 cúbico, en que depositó las tres figuras erizadas de espinas y otras cosas igualmente funestas, al menos por la intención.

El muchacho echó encima parte de la tierra cavada y alisó cuidadosamente la superficie, recogiendo el sobrante para que los enemigos no se percataran del maléfico escondite.
30 Al reanudar el camino, el curso de las grandes estrellas indicaba ya la proximidad de la media noche. Los tres hom-

bres apretaron el paso a fin de llegar oportunamente a la cumbre del cerro escogido para la ceremonia.

Era una prominencia solitaria, abierta a todos los vientos. Cuando llegaron, el brujo dió de beber y comer a la tierra. El aguardiente fué esparcido como rocío y los comestibles 5 colocados reverentemente sobre una piedra. Del lado del oriente instaló a los dos hombres y hacia el poniente paró las tres ceras consagradas a sus enemigos: para los primeros la luz, el sol, la vida; para los otros, la noche, la sepultura del sol, la muerte. 10

Se arrodilló y con acento monótono dió principio a su oración:

—Dioses de la noche que me oyen: sean [11] mansos para mis amigos y crueles con mis enemigos; estrellas, alumbren a mis hermanos y cúbranse la cara ante mis competidores; 15 padre sol, que estás por llegar, préstame todo tu poder para que los malvados ya no puedan mirarte; vientos que son la frescura del mundo, azotadlos; y tú, madre tierra, la mujer del sol, dame el poder para devolverles mal por mal: que encuentren la desgracia donde el venado salta, donde nada 20 el pez, donde anida el cuervo, donde se arrastra la víbora, donde vive la hormiga, donde grita el águila, donde canta la paloma. . .

Antes de retirarse, el brujo prendió las tres ceras consagradas a los enemigos, como antes, de revés. Y comenzó el 25 descenso, sin que las tres lucecillas de la cumbre restaran ninguna obscuridad a la tierra, ni agregaran ningún esplendor a la luminosidad de los cielos.

11

EL NAHUAL

LA noticia causó, más que una impresión de dolor, un efecto de honda satisfacción: el brujo de la ranchería, más temido aún por sus dotes de *nahual,* había muerto. A pesar de la lluvia del amanecer, la noticia iba por las casas, de
5 puerta en puerta.

Sabedores todos de que una de las familias en pugna había traído de lejano lugar a otro brujo poderoso, de los trabajos de éste hacían derivar la muerte del hechicero local. Se pensaba, sin decirse, que había caído la primera víctima
10 de la contienda, de la guerra entre las dos familias, distanciadas por la muchacha que solicitaran dos jóvenes de la ranchería: el uno inválido para el trabajo; el otro, en plena fuerza de una juventud sana.

Los temores que infundía el *nahual* muerto, eran tan sólo
15 la sombra de los temores que supo sembrar en vida. De él se contaban hechos tremendos y misteriosos: para castigar a un vecino que robara unas mazorcas de maíz, le había dejado seca la mano, encogida, como un martillo informe. Pagado para saciar una venganza, acabó no tan sólo con
20 toda una familia, sino hasta con los animales, muriendo todos a causa de una rara enfermedad.

Pero todo ello resultaba pálido ante las versiones sobre las correrías y prácticas nocturnas del *nahual.* Aseguraban que, cuando la ranchería ya se encontraba en calma bajo el peso de las noches más oscuras, él procedía a transformarse en tigre, en oso o en una enorme serpiente, para ir a excursionar impunemente por campos y ranchos, robando lo más valioso que hallaba. Por eso en su casa abundaban la carne y los granos.

A su regreso era la mujer la encargada de ejecutar la rara liturgia que lo reintegraba a la forma humana. Y allá estaba, en la tarima de otates, todo ensangrentado y lleno de lesiones, unas como rasgaduras de espinas y otras como dentelladas de perros.

—Muy poderoso ha de ser —decían— el brujo traído de la otra ranchería, cuando pudo causar la muerte del *nahual*.

Otra víctima de esas luchas que duran siglos de superstición, entre familias que se transmiten los odios, como una herencia.

12

YOLOXÓCHITL

flower of the heart.

EL brujo de la lejana ranchería, el mismo *necténquetl* que agregara a su fama la muerte del *nahual,* fué llamado nuevamente, para curar a la *ixpócatl,* la joven mujer que hacía poco se casara por fallo de los viejos con el hombre que no
5 la solicitó en primer lugar para el matrimonio; pero que era capaz de trabajar para ella.

Ya no era aquella muchacha maciza de carnes. *robust* Se sentía enferma y, cuando la preguntaban la causa de su tristeza, se colocaba la mano en el pecho, quejándose de una fuerte
10 dolencia. La mayor parte de las horas, las pasaba en un rincón de la casa, entregada a sus labores pacíficas, maquinalmente.

Comenzaron a decir que era a ella a quien [1] habían tocado los maleficios del brujo, dirigidos a su esposo y a sus
15 demás familiares. El brujo, después de oír, pensó mucho; y, por fin, se resolvió a hablar, confirmando, aunque no con toda su convicción, la sospecha de que era la brujería la causa del mal. Antes de aconsejar la curación, quiso auscultar, pero no en la carne dolida, sino en el misterio de sus
20 artes.

Encendió el fuego, echó en él suficiente copal, con el que la casa se llenó de un agradable perfume. Después, como en su primera visita, puso en las brasas un trozo de alumbre. La transformación fué inmediata: el alumbre, por acción del calor, creció de tamaño y, sin duda por una extraña coincidencia, adoptó la figura de un corazón.

Mientras el brujo examinaba el objeto, medio de sus auscultaciones, comenzó a decir:

—Es muy frecuente que las brujerías dirigidas a un enemigo, cuando éste tiene un espíritu fuerte, se desvíen y vayan a dar en algún familiar, muchas veces en algún animal, casi siempre el más querido: el perro que no se aparta del amo, por ejemplo.

Llamó a sus oyentes para que observaran el raro objeto:

—Miren ustedes, el mal está en el corazón. Sólo porque la enferma es joven, ha podido resistir. Los enemigos dirigieron sus ataques al centro de la vida. Fué sin duda aquella espina muy grande que arranqué de una de las figuras de *cua-ámatl,* la que causó, sin intentarlo en ella, la dolencia. Pero sanará. . .

El brujo, paso a paso, con la lentitud de un sacerdote, fué a tomar asiento en un banco de madera. Parecía preocupado. Dijo al casero que le sirviera un vaso de aguardiente y, apenas dió el primer sorbo, comenzó a decir lentamente, como si recordara con algún esfuerzo:

—Si a la víbora se le sacan los sesos como benéficos contra el propio veneno; [2] y si al pie de cada hierba mala se halla la contra, es lógico que el *yoloxóchitl,* la flor del corazón, sirva para curar los males del corazón. . .

El esposo, el joven de oficio cazador, el mismo que por montaraz hallara moribundo junto al cerro a su enemigo victimado por los blancos, apenas oyó las últimas palabras del brujo, se colgó el machete y salió de la casa a grandes zancadas, para ir a buscar en los bosques más espesos, en los valles más hondos y en los cerros más altos, la flor del corazón.

* * *

La medicina recomendada por el brujo y que fué hallada en lo más cerrado de los montes, surtía sus efectos en forma muy lenta. La muchacha, aunque ya no se quejaba como antes, seguía llevándose la mano al pecho, como si el menor movimiento la fatigara.

La mata del *yoloxóchitl,* cogida con toda la raíz, fué plantada junto a la casa. Con tántos cuidados puestos en ella, no se le secaron ni los botones más tiernos. En cada rama, una flor, mejor dicho, un corazón. De ella tomaba la joven, todas las mañanas, un botón.

13

HOMBRE DE MONTE

EL *cuatitlácatl* regresó a su casa después de dos semanas de ausencia, durante las cuales estuvo entregado a los trabajos que a él menos le gustaban: el corte de leña para un trapiche del mestizo, el abastecimiento de pastura para las yuntas de la misma molienda y el interminable atizar del horno.

Precisamente por su falta de afición a la agricultura, él ni sembraba ni cosechaba, pues por algo le llamaban el *cuatitlácatl,* hombre del monte, cazador. Mientras los demás iban a limpiar la tierra para la siembra, él buscaba por los bosques la mejor presa, acompañado de sus perros. En tanto que los demás cosechaban y llenaban sus pequeños graneros, él expendía las pieles y cambiaba la carne por los alimentos propios de la tribu.

De vez en cuando tenía que abandonar sus actividades predilectas. Era cuando los *topilis* le decían que le tocaba su turno para ir a trabajar en las haciendas del valle o bien en las labores domésticas de los funcionarios del pueblo. La primera semana, sometido al mezquino jornal asignado por tradición, fué difícil e impaciente, por la falta de noticias de su mujer, a quien había dejado todavía enferma, a pesar de las primeras curaciones con el *yoloxóchitl.*

Pero el haber tenido noticias de una mejoría y, luego, el habérsele ofrecido una escopeta en pago de sus trabajos correspondientes a la segunda semana,[1] aligeraron la carga.

Fué el constante pensar del cazador que, por primera vez, sumaría a su fuerza y a su perspicacia el auxilio poderoso del arma de fuego.

El regreso a la ranchería lo hizo [2] fraguando mil proyec-
tos, en tanto que acariciaba con la mano el arma suspendida gallardamente de uno de sus hombros: con ella, con el machete y con los perros emprendería no tan sólo la caza del venado y del jabalí, sino hasta la del leopardo y la del tigre.

Al llegar a su casa, la madre, el viejo y la esposa examinaron con gran curiosidad la adquisición: la escopeta ganada con una semana de trabajo. Con ella había recibido también un garnil, hecho con una piel de zorra; y en él, suficiente pólvora, postas y fulminantes. Además, le habían dado las explicaciones necesarias para el manejo.

Entrada la noche, la vida familiar siguió su curso. A la luz de un fogón en que cocinaba, a pesar de estar enferma, la mujer del *cuatitlácatl,* y con la ayuda de un ocote encendido, el viejo tejía una pequeña cesta de bejuco; la vieja hacía un bordado de estambre en un *huipil;* [3] y el joven cazador limpiaba su escopeta.

Durante esa operación, los perros lo observaron con una mirada casi humana. Eran tres de esos perros al parecer despreciables, de largo hocico, de orejas paradas, perros de indio, pero de una resistencia igual a la de sus parientes más cercanos, los *tepechiches,* perros del cerro, esos tenaces cazadores negros, de collar blanco, que tras correr todo un día derriban al venado, para comerle, tan sólo, un pedazo de entrañas.

Los dos hombres acercaron sus bancos a la lumbre y se pusieron a cenar. La muchacha, sentada en el suelo, aplaudía haciendo las tortillas que después echaba muy extendi-

das sobre el comal. La anciana ayudaba a los pobres preparativos, acercando la jícara del agua y la taza de coco en
que estaba la sal.

Los perros se habían arrimado también y miraban a los
dos hombres con la misma atención de cuando el muchacho 5
preparaba la carabina. Cuando les arrojaban un pedazo de
tortilla, sobrante de un bocado, perdían sus actitudes hieráti-
cas, para adoptarlas, otra vez, atentos, inmóviles.

Al terminar la cena, consistente en unos frijoles servidos
en un plato que sostenían las rodillas, en un poco de chile, 10
un grano de sal, una hierba olorosa y las tortillas calientes,
los dos hombres se levantaron para ir a recibir el fresco en
el corredor.

* * *

Con la cabeza descubierta, con las piernas al aire, respirando ampliamente, el *cuatitlácatl* se internó por el monte, 15
seguido de sus perros, hacia los lugares donde podía cazar
libremente.

Llevaba al hombro la escopeta, fierro ahumado y visiblemente de muy poca eficacia. Le cruzaba el pecho una negra
correa de la que pendía el garnil. De su cintura colgaba un 20
corto machete, pues el acero largo resulta un estorbo en la
breña.

Los perros, que por enjutos parecían hechos de carrizo,[4]
se paraban frecuentemente a olfatear en las hierbas. Quien
no haya visto [5] trabajar a los llamados perros de indio, no 25
sospecha su tenacidad y su resistencia.

A la orilla de un arroyo, donde la tierra era húmeda y
blanda, el cazador descubrió las recientes pisadas de un
ciervo. Cada pisada, era como una hoja doble pegada a la
tierra. El cazador seguía los pasos del montaraz, y los perros 30

ya se le adelantaban agitando el rabo en señal segura de que el olfato ya había percibido algo.[6] Las huellas se perdieron en un pequeño pedregal, pero bien pronto las halló en una ladera donde, por haber resbalado, las pesuñas resultaban 5 de una longitud inverosímil. Los perros partieron hacia la espesura, disputándose la vanguardia.

El hombre era todo oídos. La escopeta pasó del hombro a las manos. De pronto se escuchó un nervioso alarido. Era que uno de los perros había levantado al ciervo, en su escon- 10 dite. Bien pronto fueron dos perros los que ladraban. Después fueron todos, produciendo un escándalo.

El cazador corrió por el monte y por el cauce de un arroyo seco y fué a apostarse en una hondonada que era pasadero en las batidas de aquel lugar.[7] Pero el ciervo lo advirtió a 15 corta distancia. Torciendo de rumbo, tomó hacia las vegas.

El cazador trepó a una altura y comenzó a gritar a sus perros, animándolos. Se alejaban más y más, por momentos. Los alaridos no eran reposados, como los gritos de los perros finos, sino nerviosos y vibrantes, como si ya mordieran las 20 zancas del fugitivo.

El *cuatitlácatl* buscó el sitio por donde el venado tenía que pasar. Comenzaron a oírse los saltos. Pudo escuchar el apenas perceptible romperse de una rama seca. El hombre podía confundirse con un tronco quemado en el último in- 25 cendio del monte. El venado, con la cabeza baja, humillada bajo el peso de los enormes cuernos y eludiendo bejucos y breñas, pasaba ágilmente, a unos cuantos metros.

Apuntó y tiró del gatillo. Pero el fulminante no dió fuego, perdiéndose la preciosa oportunidad de poner término a la 30 cacería. A poco, pasaron los perros, jadeantes, como desesperados al no alcanzar la presa.

Con un gran rodeo, el venado ganó otra vez la dirección

del valle. Sin duda ya no regresaría, pues el hombre conservaba la experiencia de otros fracasos. Por eso, después de animar a los perros con algunos gritos, corrió hacia abajo, resuelto a penetrar en los terrenos de las haciendas donde sus actividades, como bien lo sabía, no eran bien vistas.   5

Ya al medio día, bajo un fuerte sol, el venado, que no lograba librarse de sus perseguidores, buscó refugio en una ancha laguna orlada de espesa vegetación. Después de lanzarse resueltamente, braceó con torpeza a causa de la fatiga, yendo a esconderse en un recodo. Hasta allá fueron los pe- 10 rros a atacarlo.

El *cuatitlácatl* llegó a tiempo que [8] por una vereda asomaban varios hombres a las órdenes de un capataz. Fué que, al oír los ladridos de los perros, abandonaron sus trabajos para ver si caía en su poder el venado. El ciervo, apenas hubo 15 descansado un poco, intentó escapar, pero le cerraban todo camino en medio de una gritería.

El cazador se lanzó al agua. Nadando en silencio, se fué acercando. Cuando estuvo a unos cuantos metros se sumergió y, tirando por las patas del ciervo, lo hizo hundirse. 20 Después, aprovechando el atolondramiento del animal, saltó a su cabeza y tomándolo por los cuernos lo sumergió hasta ver que dejaron de salir burbujas a la superficie del agua.

Fué sacado a tierra. Los perros, todavía fatigados, le lamían los belfos, como queriendo hincar el diente. El *cuati-* 25 *tlácatl* se sentía orgulloso, sin acordarse de que se hallaba en tierra prohibida. Vino a recordárselo la presencia de aquellos hombres que no eran de su raza. Entre ellos se hallaba nada menos que uno de los capataces de la hacienda, quien a las claras estaba revelando su estado de ánimo, tan sólo con la 30 mirada que dirigía al venado muerto.

El indígena comenzó a explicar humildemente que el

ciervo había sido levantado por los perros fuera de la hacienda, en la sierra. La explicación era toda una excusa por haber penetrado en los terrenos del amo. Pero el capataz replicó que las explicaciones no le interesaban: el venado 5 había caído dentro de la jurisdicción del amo y todo lo que se hallara dentro era de él.

Después de muchas súplicas, el capataz se conformó con lo mejor: los dos cuartos traseros.

En el mismo sitio, el cazador se puso a despellejar las 10 piernas del ciervo, con el cuchillo. Mientras trabajaba, arrojando de vez en cuando una piltrafa sanguinolenta a sus perros, el mestizo lo amonestó sin cansarse: que no volviera a meterse a los terrenos del amo, pues que para otra vez mataría los perros a balazos o se tomaba [9] toda la pieza. El 15 cazador prometía no hacerlo más.

Tal vez para mover la compasión del capataz, comenzó a contarle que no hacía mucho los jabalíes le habían matado al mejor de sus perros. Por más esfuerzos que hizo para salvarlo, todo remedio fué ineficaz. Lo sintió tanto como a 20 un hermano, como que fueron muchos sus servicios: por eso le dió sepultura y le puso en el cuello un pañuelo con un peso en centavos, para que pudiera comprar sus tortillas en el camino a la otra vida.

* * *

El cazador ya regresaba a la ranchería por entre el monte, 25 siguiendo las veredas para él familiares, poniendo los pies desnudos en la tierra negra y blanda, donde ya había otras huellas: hendidas unas y plantígradas otras.

Llevaba a las espaldas el ciervo mutilado. Iba encorvado bajo el peso de su carga. En algunos sitios se paraba, sudoroso, resoplando. La vereda era como una culebra tendida entre el monte, ondulante y negra. Bajo el calor, todo parecía amodorrado.

De pronto, a unos cuantos pasos, entre la maleza, sonó el pujido peculiar del jabalí, algo así como un golpe seco en una piel restirada, precisamente de lo que viene al animal el nombre de *tamborcillo*.[10] La respuesta, por parte de los perros, fué la arremetida por entre la espesura.

Más allá se alzó el escándalo de cien tambores en un sonar furioso, como estimulando a la pelea. Era toda una manada de puercos salvajes que tal vez peregrinaban en busca de otros bosques más ricos en frutas silvestres. Algunos de los jabalíes adultos, ya asomaban sus estúpidas cabezas por entre las hierbas, arremetiendo contra los perros, mientras que éstos, con los lomos erizados y mostrando los dientes, retrocedían ante el ataque.

El cazador, consciente del peligro, arrojó su carga y empuñando su carabina se dispuso a disparar en la primera y mejor ocasión que se le presentara, seguro de que el olor de la pólvora espantaría la manada. Un macho de enormes colmillos blancos a guisa de mostachos enhiestos, salió de la maleza y avanzó resueltamente, en seguimiento de uno de los perros.

Al sonar el disparo, el jabalí cayó de bruces y, cediendo al impulso que llevaba, aró la tierra con el hocico, pujando como un cerdo que se baña en el lodo. Tal vez aquella voz moribunda fué interpretada por los demás, porque la estampida provocada por el disparo se contuvo bien pronto y, retrocediendo la avalancha, ésta se lanzó nuevamente sobre los perros y el *cuatitlácatl*. Con una ligereza increíble para unos remos tan cortos, los jabalíes describían trayectorias diagonales, pues no hieren de frente sino que de paso, buscan la tangencial en que el colmillo da el tajo en los ijares del perro o en la pantorilla del hombre.

El cazador, imposibilitado para volver a cargar su arma
5 de un tiro y ante la superioridad del enemigo, retrocedió ágilmente; y ya había saltado al tronco de un árbol donde ponerse a salvo, cuando el grito de uno de sus perros lo reintegró a la tierra, machete en mano.

No podía abandonar a sus cachorros. Uno de ellos, se
10 arrastraba ya, gravemente herido, quejándose, en su busca. Con la actitud del combatiente esgrimía su arma por sobre los puercos de cerdosos lomos que pasaban velozmente a su alcance.

La maleza se movía, agitada por la furia de los jabalíes,
15 denunciando su cantidad. Los pujidos de los *tamborcillos* resonaban en todo el monte.

El cazador, aunque materialmente sitiado, estaba resuelto a no abandonar el escaso terreno de su dominio, tan escaso que podía medirlo el largo de su brazo y del machete. En
20 medio de ese reducto, entre los pies del hombre, se hallaba el perro herido.

Los otros cachorros estaban parapetados en una tupida mata de otates, de la que apenas sacaban medio cuerpo cuando el ataque de los jabalíes era menos agresivo. En los
25 tallos tiernos, los colmillos de los atacantes dejaban hondas cortadas.

Un jabalí, mañosamente, pasó a regular distancia del lugar en que el más valiente de los perros se hallaba plantado en actitud defensiva. El perro, engañado por el aparente
30 recelo del jabalí, abandonó su parapeto completamente y, entonces, otro puerco le cortó la retirada. Sorprendido entre

. . . esgrimía su arma por sobre los puercos . . .

los dos adversarios, éstos se ensañaron en él. Su agonía fué un largo grito que terminó en punta.

El triunfo solivantó más a la manada. El *cuatitlácatl* comprendió que sus medios de defensa iban disminuyendo, pues el perro que tenía a sus pies más bien lo comprometía; otro, ya había muerto; y el tercero, aunque más o menos seguro en su parapeto de otates, no hacía más que ladrar con acento que denunciaba el miedo.

En una de las ocasiones en que la avalancha arremetió y él pudo rechazarla con mayores efectos, llevando en sus brazos al perro herido, corrió con el ímpetu de ganar un árbol. Pero antes de que llegara al tronco más próximo y más propicio para la fácil ascensión, un jabalí le alcanzó en la pantorrilla.

Inmediatamente flaqueó la pierna. Cuando aun hacía esfuerzos y voluntad para el último salto, sintió otro golpe y después otros muchos. Los puercos pasaban tocando apenas su carne, al parecer, pero metiendo siempre el colmillo. Al convencerse de la inutilidad de su afán, puso en tierra al perro herido y quedó en cuclillas, porque ya no pudo levantarse. Así, todavía manejó el machete durante algún tiempo.

Por fin, cayó al suelo, junto al perro herido. La manada se aglomeró gruñendo de rabia sobre el cazador y sobre el perro.

Fueron los aullidos del único perro que se salvó, los que guiaron al viejo que por la noche buscara afanosamente a su hijo.

14

OTRA VÍCTIMA

POR orden del juez de la congregación una centena de individuos, entre naturales y mestizos del campo, buscaban río abajo a un mensajero. Se trataba nada menos que del indígena, ya viejón, que sostenía con su vecino la enconada lucha a base de brujerías, el padre del muchacho lisiado a quien los blancos exploradores redujeron a la condición de un ser inútil.

La creencia de cuantos lo buscaban era de que se había ahogado, pues que de haber podido[1] ganar la orilla, para entonces ya se le habría visto por alguna parte. El último informe de él era el que daba el matrimonio del ranchito prendido sobre el cantil, junto al vado.

* * *

El indígena llegó[2] cuando el sol ya tenía unas dos garrochas de alto y, mientras se tomaba una caña, les dijo del objeto de su viaje: estando como semanero en el pueblo, el presidente municipal lo enviaba con unas cartas muy urgentes, en calidad de correo, al otro poblado. Aunque ya entrado en años, lo escogieron a él porque era bien conocida su habilidad para cruzar los ríos crecidos: ninguno como él para manejar el *acuáhuitl*, el tronco de madera fofa con que los campesinos vadean las corrientes, como en un caballo.

Los del rancho le aconsejaron que debía esperar a que

bajara un poco el río, porque en esos momentos iba sumamente crecido. Pero el indígena se sonrió desdeñosamente
y dijo tener órdenes de regresar con la luz del día. Mientras
eso decía, miraba a su compañero de hazaña, el trozo de
madera, recargado en la empalizada.   5

El natural agotó el contenido de su vaso y se dispuso a
partir.

Con su madero al hombro bajó por la pendiente hasta la
orilla del río, el que, de tan crecido, ni rumor hacía: estaba,
como dicen los campesinos, hecho una cuerda. En derredor 10
a la copa de su sombrero ató la camisa y el morral en que
guardaba las importantes cartas del funcionario y sus alimentos del mediodía. Después se alzó los calzones perfectamente enrollados, hasta el nacimiento de los muslos. De la
cintura se quitó una cuerda, con la que puso una rienda a 15
su caballo de madera.

Ya listo, avanzó por la turbia corriente, aun alzando el
tronco. Con él a cuestas, parecía un presunto mártir conduciendo una cruz incompleta. Al llegar donde el agua le
daba a la cintura,³ apoyó el vientre en uno de los extremos 20
del *acuáhuitl* y, enderezando el otro extremo un tanto contra el ímpetu del río, se lanzó, nadando.

En los tumbos, el hombre subía y bajaba en un balanceo,
ganando siempre distancia. Desde el cantil, el hombre y la
mujer de la casucha lo miraban alentándolo con gritos en 25
los trances más difíciles.

Quinientos metros río abajo, entre el encarrujamiento de
las pardas aguas, aun se veía intermitentemente aparecer y
desaparecer el sombrero. Por fin, lo vieron ganar la orilla y
subir por el pedregal opuesto, con su madero al hombro. 30

Durante las siguientes horas, la mujer cantó, triste y monótona, al mismo tiempo que hacía sus trabajos caseros. El

hombre, sentado en una piedra al filo del cantil, fumó impasiblemente, viendo pasar y pasar las aguas del río o siguiendo con los ojos el vuelo de las garzas y de los *apapanes*. Fastidiado, sacó el hacha y se puso a partir leña.

5 Cuando la mujer lo llamó a comer, entre bocado y bocado, dijo que el indígena ya estaría llegando al pueblo. Después de la comida, al mismo tiempo que exploraba los horizontes, dijo a la mujer que por las sierras estaba cayendo una tormenta: el cielo era panza de burro y lejos se oían sordos

10 truenos. Tales fenómenos inspiraban temores por el correo que aun no regresaba. El hombre bajó dos o tres veces a la orilla del agua, para ver una señal puesta desde por la mañana en una piedra. Otras tantas veces regresó para decir que el río seguía creciendo. Fastidiado, ya en la tarde, se

15 tiró a dormir en una banquilla del corredor.

Ya al caer la tarde, "como estaban pagando los drogueros,"[4] pues hacía sol y estaba cayendo un ralo aguacero, la mujer salió a recoger sus ropas y de paso echó un vistazo a la corriente: la piedra en que su hombre había puesto la

20 señal ya no se miraba. El agua era color de cobre y sobre el lomo del río pasaban balanceándose algunos troncos.

Sonó un grito al otro lado. Hombre y mujer fueron hasta la orilla del cantil. Era el indígena que ya estaba de regreso. Lo vieron recoger del matorral su caballo de madera, qui-

25 tarse la camisa, atar a su sombrero todos los enseres y avanzar río adentro con el madero al hombro.

El matrimonio, midiendo el peligro, comenzó a dar voces y a indicarle, con movimientos de brazos, que no se aventurara. Pero, tal vez, pudo más la orden recibida en el pueblo:

30 el mensajero se lanzó.

Hubiera vencido como en la ocasión anterior, pues ya se hallaba a la mitad de la corriente aunque muy abajo del vado, pero río arriba se escuchó como el reventarse de una presa. Con más frecuencia comenzaron a pasar troncos y ramajes, sin duda porque el agua había barrido con todo un monte.

Uno de sus grandes troncos alcanzó al hombre que en vano hizo esfuerzos por cortar el agua más de prisa, a golpe de brazo y de pies. Desde ese momento no volvió a saberse de él.

* * *

Varios kilómetros río abajo no se había dejado un remanso, un recodo, un paraje sospechoso, sin una detenida inspección. Los ojos expertos en distancias, lo habían examinado todo, en busca del ahogado. Las opiniones de los buscadores eran bien diversas: que la corriente se lo había llevado muy lejos, tal vez hasta el mar; que el cadáver, a lo mejor, ya estaba en la cueva de un lagarto y que éste, tentado por la putrefacción, ya se dispondría al banquete; o bien, que acaso estaba en algún sitio profundo, tapado por el cieno.

La atención se fijaba principalmente en los mejores auxiliares de tales casos: los zopilotes. Sus trayectorias eran seguidas con un gran interés porque, a lo mejor, allá donde terminaba el vuelo estaba el muerto.

Pero algunos volaban muy alto y, al parecer, sin objetivo, como ejercitando las alas tan sólo para que no se les olvidara volar. Otros, que volaban planeando muy abajo, hasta posarse en la orilla del agua, lo hacían para devorar un pequeño pez muerto.

En ambas orillas, a la sombra de los árboles, se formaron grupos al derredor de las lumbres. Naturales y mestizos calentaban sus provisiones y comían en paz, algunos comentando cualquier incidente y otros mirando el río. Los indígenas eran de los últimos, sin que ni por una vez aludieran al hecho de que siempre eran los de su raza los victimados por la fatalidad.[5] Cuando mucho, una vez que reanudaron la marcha, desviaban unos pasos para cortar guayabas cimarronas en los pedregales. Pero, en cambio, los mestizos fumaban sin dejar de hablar, como cumpliendo apenas con un mandato,[6] pero sin que la desgracia les afectara sensiblemente. Un viejo de barba canosa y amarillenta, decía que: "Ésta era [7] una mujer muy llevada por la mala, de esas que gustan de hacer repelar al marido, haciendo todo lo contrario de lo que se les ordena. Era tan dada a contradecir que, cuando su hombre le sobaba con el machete, diciéndole: "para que ya no lo hagas,[8] maldita," ella le suplicaba que siguiera pegando, pues que sentía un gran placer. La vieja se ahogó y los vecinos se echaron a buscarla río abajo. Cuando ya tenían tres días buscándola,[9] llegó el marido, que andaba de viaje, pues era arriero, y en cuanto supo de lo que se trataba sólo pidió que le indicaran el sitio de la desgracia. Se echó a reír como si le hicieran cosquillas al condenado,[10] diciendo que todos eran unos benditos de tan inocentes, pues que no conocían la condición de las mujeres. . . Explicó que a su vieja siempre le había gustado ir contra la corriente y que en lugar de buscársela río abajo deberían buscarla en sentido contrario. Y así lo hicieron, hallándola bien muerta treinta leguas río arriba." [11]

Los mestizos celebraron el cuento, pero los naturales, por la falta de un intérprete, permanecieron impasibles. Llegaron a un lugar donde el tupido follaje de la orilla impedía un examen minucioso. Había árboles que se inclinaban sobre las aguas como pacientes pescadores que echan el anzuelo, cuyas ramas bajas sin duda había alcanzado la corriente.

Los dirigentes ordenaron que algunos de los naturales, a nado o prendiéndose a las rocas de la orilla, fueran escudriñando todo. De los sitios más intrincados salían volando 5 rumorosamente los patos de cabeza morada y uno que otro martín pescador.

Adelante, en los pedregales distantes que ya habían emergido de las aguas una vez pasada la creciente, se veía una rara figura, al parecer el cuerpo de un hombre. Todas las 10 miradas convergieron en el mismo sitio y la marcha se hizo precipitada: era un tronco limado hasta lo blanco por las piedras y que conservaba dos brazos retorcidos.

Muy abajo, cuando ya llegaban a los límites de la otra congregación, los buscadores se quedaron parados sobre lo 15 que podía llamarse el trampolín de la cascada. El río serpenteaba allá lejos, manso a tramos, espumeante e impetuoso a trechos. Cuando los ojos se habían saciado de lejanía, descubrieron más cerca, como a un tiro de fusil, que un zopilote hacía columpios sobre las arboledas de la orilla y que a cada 20 vuelta bajaba casi hasta tocar la superficie del agua, como atisbando bajo unos otates que se inclinaban sobre la corriente. El zopilote, después del atisbo, rápidamente viraba, alzándose otra vez por encima de los árboles.

Todos los buscadores permanecieron atentos. En una de 25 sus vueltas, el ave se paró en una rama baja. Estiraba el cuello, observando desconfiado. Después, en un salto, como si hubiera intentado, absurdo, posarse en la superficie del agua, descendió con cuidado, alzando las alas. En esa actitud hundía el pico en el agua. 30

Los buscadores no esperaron más. Descendieron por los

cantiles, avanzaron por las orillas y cuando ya algunos asomaban por los matorrales, el zopilote voló para situarse en una de las más altas ramas, observando.

Era el cadáver buscado. Una rama baja, prendida al cal-
5 zón de manta, lo había detenido en su viaje al mar. Sin formalidades de ley, entre la algarabía de los mestizos y el silencio de los naturales, el cadáver fué llevado hasta la orilla donde se le colocó en una pulida cantera que más bien parecía una lápida.

10 Todos lo reconocieron inmediatamente, a pesar de que estaba horriblemente abotagado y de que los charales le habían comido los labios y los párpados. Uno de los mestizos, enterado de la contienda entre las dos familias, indicó que acaso la desgracia había obedecido a las artes del brujo,
15 pues ¡cómo pudo haberse ahogado el más experto de los nadadores!

La indicación hizo que los naturales se apartaran un poco, al parecer temerosos de que el cadáver aun conservara algo del maleficio. Sobre la cascada, del lado del monte, apareció
20 una extraña figura: busto de hombre y piernas de niño. Su andar parecía un balanceo: era el lisiado que también recorría el río en busca de su padre.

TERCERA PARTE

15

REVOLUCIÓN

ALGUNOS de los que habían trabajado durante las últimas semanas en la servidumbre de los influyentes del pueblo, llegaron con la noticia de que algo muy grave estaba sucediendo entre la *gente de razón*.[1] Dijeron que, cuando nadie lo esperaba, entraron a la población varios hombres armados, quienes destituyeron desde luego a las autoridades, dando muerte al jefe de las armas.

Ellos, en vista de lo sucedido y como los recién llegados no los necesitaban para nada, se escaparon. Un viejo explicó que, cuando él era muy joven, tuvo la suerte de presenciar no pocas luchas de los blancos, porque éstos, como los naturales, también se hacen la guerra entre sí. Y les puso el ejemplo de las familias divididas por odios interminables, las que se buscan daños mediante las brujerías, hasta acabar con los padres, los hijos y los nietos. La diferencia consiste, agregó el viejo, en que los blancos se hacen la guerra con más eficacia, mediante el *amóchitl,* el plomo de las armas de fuego.

Por el temor, o bien porque ni los funcionarios ni los hacendados reclamaban los tradicionales servicios, los naturales ya no tuvieron faenas, ni trabajos forzados en las haciendas y, mucho menos, volvieron como semaneros. Hasta pasados algunos meses, después de una noche [2] en que se escuchó constantemente el tronar de las armas, se recibió una orden: que llevaran pasturas y tortillas. Era que había entrado un fuerte contingente de caballería al pueblo.

Uno tras otro, como se alinean las hormigas en sus trabajos de aprovisionamiento cuando ya se acercan las 5 aguas, fueron por el camino: unos, con el bulto de zacate a la espalda; otros, con los *chiquihuites* colmados de tortillas, pedidas como una contribución equitativa entre todos los de la ranchería.

Y eso fué por varias semanas. Las denominaciones de los 10 bandos en pugna, decían bien poco a los oídos de los naturales.[3] Procedían más bien por simpatías personales hacia algunos de los jefes armados o tan sólo por el temor en caso de no atender los mandatos.

Una noche volvieron a oírse fuertes detonaciones, como 15 descargas cerradas. Al amanecer, las detonaciones apenas si puntuaron el silencio. Y al entrar plenamente el día, el traqueteo fué sin interrupción durante varias horas. Los defensores de la plaza fueron obligados a salir: así lo contaron quienes, en las cercanías del camino, los vieron pasar a toda 20 prisa, sudorosos, con la huella inconfundible del que huye. Y así vieron pasar, en el transcurso de años, partidas grandes y chicas. . .

Fué hasta después de mucho tiempo [4] que un cabecilla subió al caserío, para quebrar la calma propia de las alturas 25 en que los naturales ya se creían para siempre.[5] Había sido que el jefe de la partida, no conociendo la región, se perdió en una violenta caminata. Además de exigir víveres, reclamó una veintena de jóvenes para que le sirvieran de guías; pero los dotó inmediatamente de carabinas e hizo 30 que caminaran en la vanguardia. Nunca regresaron.

Aspecto desolado el de la ranchería.

16

EPIDEMIA

TRAS una temporada de calores excesivos que acabaron con los sembradíos, se desarrolló una epidemia de viruela: unos creyeron que en verdad era el excesivo calor la causa del mal, mientras que otros lanzaron la versión de que el espíritu del *nahual* era el que pretendía acabar con todos. 5 Tanto aquéllos como éstos recurrieron a sus prácticas tradicionales para combatir la enfermedad: dar de comer al cerro, a los vientos y a las aguas, no sin recurrir también a los baños de *temaxcal,* durante los cuales se daban fricciones con esa hierba que ellos conocen con el nombre de *tian-* 10 *guispepetla,* la cual derrama a flor de tierra su hoja menuda, y de ahí su nombre, que significa petate [1] de plaza.

Cuando se presentaron las primeras defunciones, si se trataba de un niño, hacían baile con violín y chirimía; y, si era un adulto, lo velaban en silencio, pero en ningún caso 15 les importaba el contagio a la vista de los cadáveres claveteados de puntos negros.

Pasados algunos días, ya fueron muy pocos los que asistían a velorios y entierros, a pesar de que los deudos proclamaran la posibilidad de una abundante repartición de 20 aguardiente. Eran por entonces únicamente los familiares los que velaban, conducían y lloraban al muerto.

Aspecto desolado el de la ranchería. Por las noches, apenas una que otra luz. Desde la salida del sol, bultos pardos ovillados, junto a las puertas: los indios enfermos, envueltos 25

133

en sus cobijas, sin enseñar más que los ojos, ojos inmóviles
sobre el paisaje muerto.

Después se dieron casos en que los cadáveres permanecían
insepultos. Fué entonces cuando el lisiado, como para com-
5 probar que no le interesaba la vida o que a él no le importaba la muerte, dió agua a los enfermos y sepultura a
los muertos. En muchos casos, ante la imposibilidad de
cargar con ellos, cavó sepulturas en el interior de los hogares.

10   Un día, al ver cerrada la casa que fué de su rival, de
aquel que lo despojó de la prometida, se arriesgó a inquirir.
Queja de la puerta al abrirse. El lisiado metió el oído, aus-
cultando. Dijo unas palabras en voz baja, que eran como un
reclamo. Al no responderle nadie, avanzó resueltamente.

15   Vió sobre el *tlapextle* a ella.² En la misma cama estaba
también el niño recién nacido. Para un febricitante, ¡qué
presente más grato que el agua fresca! El lisiado tomó la
jícara y de la olla el agua. Fué a ofrecerla a la enferma, al
parecer profundamente dormida. El niño también dormía.
20 En la espera, puso el recipiente en el suelo. Mirándolos, era
como una estatua de bronce enmohecida por el tiempo: perfecta la cabeza, inclinada en un atormentado pensar; inmóviles los anchos hombros; pero ¡qué doloroso contraste el
de sus piernas empequeñecidas!

25   Después de esperar mucho, tendió la mano libre de muleta y la puso suavemente en la cabeza del niño. La mano
se contrajo con rapidez: en aquel ambiente de fiebre a
causa del clima, la criatura estaba fría. Miró entonces con
mayor atención a la cara de la mujer —la que hubiera sido
30 su mujer—, y hasta ³ entonces cayó en la realidad. . .

Durante toda la tarde pensó y lloró, encerrado, haciendo
compañía a dos cadáveres. Como no hubo quien le ayudara,

junto a la cama cavó la sepultura, hizo rodar los dos cuerpos, les puso encima las prendas más queridas de la indígena, su jícara matrimonial, los collares de cuentas, el *quexquémetl* y el ceñidor serpenteado con rombos de estambre, y apisonó la tierra. 5

Después, silenciosamente, en medio de la noche, cerró la puerta.

* * *

A los naturales no dejó de extrañar uno de los motivos de la visita. Desde tiempo remoto se habían acostumbrado a que en sus dolencias nadie acudiera a auxiliarlos. Las 10 viruelas las habían soportado, no sin algunas pérdidas, en la misma y muda actitud de cuando la ranchería fué azotada por la peste, año tras año por la disentería y casi permanentemente por el *tzocoyote,*[4] nombre con que ellos designan la tos ferina y con denominación parecida al más 15 pequeño de los hijos,[5] tal vez por asociación de ideas.

Los que notificaban la próxima visita del nuevo diputado por el distrito, explicaron desde luego que el alto funcionario se tomaba aquel trabajo sólo para ofrecer auxilios a los enfermos de viruelas, pues que la noticia de la epidemia 20 había llegado hasta la ciudad. Y, como los *tequihuis* advirtieron que todos tenían la obligación de permanecer en sus casas durante el día domingo, privándose, algunos, de ir al río, y otros al *tianguis,* cuando llegó el representante popular fué recibido por una multitud. 25

Con su aire de funcionario prominente, con la pistola al cinto y montando un magnífico caballo, tenía el aspecto de un cabecilla.

Los viejos de la ranchería se acercaron a presentar sus respetos. Los hombres jóvenes permanecieron a regular dis- 30 tancia, en grupos, atentos a lo que pudiera ordenárseles. Las mujeres estaban espiando tras las empalizadas de sus casas.

El diputado y sus acompañantes observaban la ranchería con la misma atención que todo viajero curioso a los sitios jamás vistos. En los semblantes asombrados podía leerse tan solo una idea: ¡qué atraso!

Huyendo del calor, el grupo tomó asiento bajo un árbol frondoso. Todos se hacían aire con los sombreros y pedían agua. Tantos viejos como sedientos había,[6] llevaron jícaras de vivos colores, bien llenas.

Los viejos fueron advertidos de que el diputado y sus acompañantes habían resuelto quedarse a comer. Los ancianos, a su vez, dieron órdenes a los *tequihuis* para que lo dispusieran todo: tres o cuatro de las casas principales proporcionaron las gallinas y los guajolotes para la comida; otros vecinos dieron el maíz suficiente para las tortillas; los de más allá dieron abundante frijol; no faltaba quien aportara la sal; y las mujeres se pusieron a trabajar.

Y, mientras alistaban la comida, se organizó el mitin, objeto principal del visitante. Se convino en que la reunión se efectuara en la galera donde en los días de fiesta se organizaban el baile y el *tianguis*. Los naturales, en un apretado y numeroso grupo en que predominaba el blanco de la manta y de los sombreros, rodearon a los visitantes. Un *méxcatl,* como llaman ellos a quien habla bien su lengua, después de recibir instrucciones del diputado, les expuso el motivo de la visita.

Dijo que el funcionario, a pesar de lo intransitable del camino y de sus muchas atenciones en la ciudad, había resuelto visitar el rancho porque deseaba llevarles las buenas nuevas de la situación: que una vez triunfante el movimiento libertario,[7] trataba de ilustrarlos para que supieran ser libres; que la revolución, cuyo precio era el de muchas vidas, se había hecho por ellos, por los indios; y, además, que, sabiendo de la epidemia de viruela, había querido convencerse por sus propios ojos, aun a riesgo de contraer el contagio.

Los indígenas oían sin contradecir ni aprobar: era la misma indiferencia racial, con cara de piedra y ojos de vidrio opaco. El traductor, después de empinarse un guaje lleno de agua, cambió otras palabras con el diputado. Inmediatamente reanudó su arenga, diciendo: que las impresiones recogidas por el diputado comenzaban a dar sus mejores frutos, pues que ya había planeado, para lograr el progreso de la ranchería, construir un camino y levantar una escuela: el primero, para lograr el desarrollo comercial de la región; y la segunda, para que en el futuro los naturales hablaran la lengua de los blancos.

Dos palabras dichas al oído motivaron al momento una salvedad:[8] que el centro, por estar atendiendo a otros lugares más importantes, no podía encargarse de las obras; y que el distrito, por su pobreza, tampoco era el indicado para llevar a cabo tan necesarios trabajos, pues que sus ingresos apenas si alcanzaban para el pago de los sueldos y servicios: presidente municipal, secretario, juez de paz, juez de primera instancia, escribientes, maestros, empleados de correo, policía, alumbrado, etcétera. . .

Tal vez pensaron los naturales que de esos servicios, para los que pagaban gabelas y contribuciones personales, no disfrutaban ninguno.[9] Pero no hubo quien dijera una palabra. Por lo mismo, el vocero del diputado hizo la petición: los de la ranchería, como todos los habitantes indígenas del distrito, contribuirían con dos días de trabajo a la semana en la apertura de la carretera; y que, en cuanto a la escuela,

como era imposible levantar una en cada rancho y sostener
un maestro para cada lugar, la que se iba a hacer estaría
equidistante de los sitios más poblados, para que los niños,
con sólo la molestia de unos cuantos kilómetros diarios de
5 camino, pudieran asistir.

Los naturales, inexpresivos o pesimistas, no contestaron
nada. Hubo necesidad de que se les pidiera su opinión a los
viejos. Estos se aventuraron a decir que, cuantos daban
servicios gratuitos de semaneros en el pueblo o los que reci-
10 bían por la fuerza dinero para jornalear [10] en las haciendas,
acaso no podrían atender todas las obligaciones.

El diputado, en cuanto se enteró de semejantes atropellos
a las libertades, ya sin valerse del intérprete, se dirigió a los
indígenas; pero, al ver que no le entendían, dió instruc-
15 ciones al *méxcatl*. Dijo que, por mandato suyo, quedaba
relevado de ir a trabajar en la carretera, todo aquel que es-
tuviera prestando servicios domésticos en la casa de los
funcionarios del pueblo. En cuanto a recibir por la fuerza
jornales para ir a trabajar a los hacendados, nada de com-
20 placencias, pues que "nadie está obligado a prestar servicios
personales sin su justa retribución y su pleno consentimiento." Para reforzar su declaratoria, hizo que el intérprete mencionara el artículo constitucional correspondiente, artículo que el *méxcatl* tradujo a su manera.

25 La comida se sirvió en la misma galera donde fué el
mitin. De todas las casas fueron recogidos bancos y tablas a
guisa de mesas. El diputado hizo que tomaran asiento junto
a él algunos de los viejos. Los demás naturales constituían
la servidumbre. De las mujeres, sólo algunas ancianas se
30 presentaron conduciendo los comestibles.

Lo que más elogió el diputado fueron las sabrosas tortillas
de maíz negro.

17

LA TRADICIÓN PERDIDA

CUANDO estaban preparándose los trabajos de la carretera, surgió una grave dificultad para la ranchería, al igual que para otras de la comarca. El cura recorría la sierra aconsejando que los naturales procedieran a levantar iglesias, pues que la pasada epidemia de viruelas había sido 5 precisamente por su impiedad, como un castigo.

El cura no habló de la carretera. Era asunto que a él no le interesaba. Lo que dijo fué que los trabajos para levantar la iglesia deberían comenzar cuanto antes, porque, de aplazarse, quién sabe qué otra desgracia llovería sobre los na- 10 turales.

Los viejos se reunieron para resolver el difícil problema: de un lado, la orden para ir a trabajar en la apertura del camino; por otra parte, la amenaza divina, el peligro de que las palabras del cura se convirtieran en una realidad. Im- 15 posible servir a los dos mandatos, al mismo tiempo. Los que propusieron dividir el esfuerzo, es decir igual número de trabajadores para la carretera y para la iglesia, parecían dominar el consejo, pero el temor de incurrir en responsabilidad los hizo adoptar otra resolución: dos días para la 20 autoridad y dos días para . . . la otra autoridad. Cuatro días sin descanso y sin salario, a la semana.

* * *

Los naturales se extrañaron de que la carretera por construirse, según los trazos ya hechos, no condujera a la ranchería, sino que cortaba el valle, quién sabe para dónde.

Los *cúes, cubes* o *tzacuales,* eran, como han sido desde hace siglos en muchos lugares, los inagotables almacenes de cantera. Ya estaba tendido más de un kilómetro y los trabajadores apenas si habían dado fin a un montículo. Son de tiempo tan remoto, que al iniciarse los trabajos, hubo necesidad de echar por tierra grandes árboles crecidos sobre aquella ruda arqueología y quitar una gruesa capa vegetal.

Al hallar una enorme cantera, los golpes de las barretas sonaron de manera extraña. El capataz se acercó y los trabajadores se retiraron. Cuando fué levantada la piedra, aparecieron un ídolo negro y poroso, un comal hecho pedazos, varios malacates y un metate.

Uno de los peones aconsejó no acercarse inmediatamente, pues que los espíritus de los viejos viven en los *cúes,* y aquéllos podían disgustarse: hay que esperar a que se despierten y se vayan. El capataz replicó que eso era tan sólo un pretexto para no trabajar y, en apoyo de su dicho y de su incredulidad, pisoteó el hallazgo, haciendo tronar bajo sus pies los trozos de comal color de *tezontle.*

Los trabajadores reanudaron la faena. Parecían contrariados o temerosos. Y mientras iban unos y otros venían en el constante acarreo, uno de los que despedazaban las grandes lajas dijo que él sabía de muchos casos, buenos unos y funestos otros, relacionados con los *cúes:* un *cóyotl,* es decir un blanco, se quedó paralítico, inmóvil, como si hubiera sido de piedra, todo por haber despertado antes de tiempo a unos dioses de los abuelos. Pero otro, al romper un ídolo, se lo halló lleno de polvo de oro.

* * *

Los instrumentos de trabajo producían reflejos plateados
a distancia. En el trazo de la carretera, centenares de indígenas de las rancherías circunvecinas trabajaban activamente: unos, armados de barretas, removían la tierra, dentro
de una ancha faja que los ayudantes de los improvisados 5
ingenieros dejaron marcada con estacas. Otros, esgrimiendo
palas, arrojaban la tierra ya removida hacia el campo. Los
de más allá iban apisonando, a golpes de enormes trozos.
Los que apenas se veían, muy distantes, colocaban y apreta-
ban las piedras. Y, por entre todos éstos, la cadena de pardas 10
hormigas abrillantadas por el sudor, los que acarreaban
piedras desde los *cúes*.

Los sábados por la tarde, para aliviar espléndidamente el
cansancio de los indígenas, el presidente municipal mandaba
dos barriles de aguardiente, de los que daban hasta dos vasos 15
a cada trabajador.

* * *

Se preguntaban ¡cómo se le había ocurrido al señor cura
ordenar la construcción de la iglesia cuando estaban tan
atareados con la construcción de la carretera! En otra ocasión hubieran podido hacerla cómodamente, con dos días a 20
la semana, durante meses.

La carretera, vista desde las sierras en las horas más
calientes del día, ya semejaba, en el valle, una cinta de
manta tendida a secar. De la iglesia, ya estaban listos los
cimientos.   25

Pero lo más curioso era que el señor cura, una vez que
dejó tirados los hilos para la construcción,[1] se marchó sin
ocuparse más de la obra, como si tan sólo hubiera querido
distraerlos de los trabajos encomendados por la autoridad.
Sólo el temor los hizo terminar la carretera y proseguir la 30

iglesia: los campos estaban llenos de hierba y entre ésta se ahogaban las matas de maíz. Algunos de los viejos ya habían hecho notar que día a día pasaban por el cielo, en busca de otras tierras, largas camándulas de gavilanes, indicio de hambre.

18

LOS PEREGRINOS

POCOS días después de haber terminado el tramo de carretera, los naturales de la región recibieron la orden de reconcentrar en un ranchejo equidistante los materiales necesarios para levantar la escuela.

Apenas iniciada la obra, otra disposición vino a entorpecer los trabajos y a retardar la terminación del local: el cura había recorrido todas las rancherías de su jurisdicción, diciendo que no podía seguir tolerando que el tiempo pasara sin cubrir una deuda, una deuda sagrada contraída por él a nombre de sus fieles.

Les había explicado que, cuando la pasada epidemia estaba en su apogeo, él hizo la promesa de que todos los supervivientes irían en peregrinación a dar gracias a un santo milagroso, al que los encomendara pidiendo el alivio. Los naturales —les dijo— ignoraban aquella plegaria dirigida por él, a la que sin duda alguna se debió que las viruelas no acabaran completamente con ellos. Se lo hacía saber deseoso de que [1] se pagara la deuda, porque de lo contrario nada difícil sería que al repetirse la epidemia el santo ya no le prestara oídos.

Hubo incertidumbre entre los vecinos: de un lado, el mandato de las autoridades para construir la escuela; de otro lado, la amenaza, la palabra del *totatzi*, haciendo ver los posibles resultados de la insolvencia religiosa. Hubo

necesidad de que se reunieran los ancianos y después de una larga deliberación hablara la experiencia. Se convino en que los ancianos, los niños y las mujeres, con excepción de las muy necesarias para dar de comer a los trabajadores, for-
5 maran parte en la peregrinación, y que los hombres más aptos se quedaran para ayudar en la obra, primer paso en el programa educativo del diputado.

Las mujeres se dieron a la tarea de alistar el *itacate* indispensable para ocho días de ausencia: tres de ida, tres de
10 regreso y dos en el pueblo. Una semana de caminar para ir a dar las gracias al santo, por la salud concedida. Entre los que partirían reinaba la alegría: caminos desconocidos, otras gentes y horizontes nuevos.

Los hombres alistaban los *huaraches* para ellos,[2] para sus
15 mujeres y para sus hijos: previsión casi siempre inútil porque el indígena, ya en el camino, cuelga del morral el *huarache* y se siente más ligero con el pie descalzo. Les sucede lo que con el sombrero nuevo,[3] que, al sentir la lluvia, lo guardan bajo la tilma, para que no se moje.
20 Los viejos recogieron dinero entre todos los vecinos, tanto para algunos gastos del viaje como para comprar las ceras y los milagros con que reverenciarían a la milagrosa imagen.

Deseosos de ser gratos a la divinidad, de entre los hom-
25 bres jóvenes que bien pudieron haberse quedado en los trabajos, fueron tomados los integrantes de las danzas, así como los músicos. Resolvieron llevarlos como un presente más que tributar al santo.[4]

Para animar a todos, a los que partirían y a los que se iban
30 a quedar, o bien porque era necesario el ensayo, músicos y danzantes procedieron desde luego a organizarse. De puerta en puerta fueron los músicos y con ellos la danza. La

ranchería parecía estar de fiesta, y en verdad que lo estaba: aquello era una primicia al santo, un saludo a distancia, tal vez más efectivo que la rogación del cura.

Y, al amanecer, en compactos grupos, los peregrinos abandonaron la ranchería. Ya en pleno camino se ordenaron en hilera, uno tras otro, con un trote resignado: un cordón movedizo de balanceo fatigado, bajo el sol, bajo la lluvia. Tres días por delante para poder llegar al pueblo y ofrecer a la imagen el desagravio de las ofrendas, con la súplica del deudor moroso que se excusa ante su protector.

Al mediodía se detuvieron junto a un aguaje. Con leños recogidos a la orilla del camino, hicieron la lumbre en que calentar los alimentos. Comieron sentados en el suelo. Después, bebieron agua del arroyo y siguieron la marcha.

Por la noche pidieron permiso a los dueños de un rancho para dormir en los corredores. Tendidas las cobijas, durmieron a la intemperie, juntos, en una misma familia. Bien temprano, con las primeras luces del día, hablaron de lo andado y de lo que les falta aún. Y, así, hablando como los loros en sus vuelos colectivos, reanudaron el camino, siempre en dirección al pueblo famoso porque en su iglesia se venera a un santo tenido por milagroso.

Cuando llegaron a la población, que para sus ojos era como un sitio de maravilla, las fiestas ya se habían iniciado. Los repiques de las campanas los habían saludado cuando ellos apenas asomaban en las próximas vueltas de la sierra. Juntos, como las aves que en medio de la ciudad son conducidas al mercado, fueron por las calles, directamente al templo.

Quién sabe qué repercusiones sonaron en los espíritus de los recién llegados, en aquel ambiente hecho de tañer de campanas, de música de órgano y de cánticos. Tal vez hubo un deslumbramiento en presencia de los altares convertidos en grandes luminarias. La tribu, aglomerada a la puerta del templo, era como la selva, indecisa de asombro.[5] Los naturales, sin necesidad de arrodillarse, con su actitud tan sólo, eran la humildad esculpida en asombro.[6]

El sacerdote que les había ordenado acudir en peregrinación en aquellos días de las fiestas, para dar gracias a la milagrosa imagen, se acercó a la tribu e imperativo, mediante presiones bruscas en los hombros, los hizo arrodillarse.

Cuando terminó la misa y la nave se fué vaciando de creyentes, el mismo sacerdote condujo a la tribu hasta el altar donde se hallaba el santo. Todos, arrodillados, dieron gracias por la salud concedida, pero las bocas no se movían: eran los ojos los que imploraban. Después el sacerdote les exigió lo que poseían, destinado para limosnas y ceras.

Los danzantes, organizados a un costado del templo, entraron en perfecta formación y durante algunas horas rindieron homenaje a las divinidades con el único lenguaje que ellos conocían: la música y el baile, los que, por cierto, no eran como en la fiesta profana de la ranchería, sino llenos de una unción intuitiva.

A cambio del dinero y de los presentes entregados, los naturales recibieron reliquias que se colgaron a los cuellos quemados por un sol que apareció más allá del éxodo,[7] culminó en los días coloniales y aún sigue quemando.[8] Por la noche, la tribu durmió en el atrio,[9] como un rebaño.

* * *

La construcción de la escuela, aunque se llevó mucho tiempo, fué relativamente fácil por la forma en que se distribuyeron los trabajos. Mientras los habitantes de las zonas

... *las fiestas ya se habían iniciado.*

selváticas llevaron horcones y bejuco, los habitantes de las lomas gramilleras llevaron zacate en grandes manojos, para el techo; y en tanto que algunos llevaron tablas para puertas y bancas, otros conducían piedra para los cimientos y para el corredor.   5

Cuando el diputado supo que la escuela estaba terminada, ordenó al presidente municipal del distrito que sobre la puerta del establecimiento se escribiera el nombre de algún benefactor distinguido o el de algún héroe de la patria. El presidente municipal dispuso que la escuela llevara el nom- 10 bre del mismo diputado, comentando que era de justicia, pues que el plantel fué obra suya.

19

EL LÍDER

district political organizer

EL primer maestro que llegó a hacerse cargo de la escuela
fué un joven originario de una población comarcana, quien,
ante la imposibilidad de trasladarse a la metrópoli para continuar sus estudios y hacer una carrera, se había resignado
5 con la modestia del magisterio rural.

En un principio, como las autoridades del pueblo ordenaron que todos los jefes de familia de la región enviaran a
sus hijos aun cuando éstos tuvieran que caminar diariamente varios kilómetros, la concurrencia fué numerosa. De
10 diversos rumbos, por distintos caminos y veredas, muy de
mañana, convergían al lugar en que se hallaba la escuela
todos los niños campesinos: los pobres, a pie; los hijos de los
ricos, en burro.

El maestro se dió cuenta, desde luego, de que, para desa-
15 rrollar un programa efectivo, era necesario hacer dos grupos:
uno, formado por los niños que hablaban español, hijos de
los mestizos y de los blancos; y otro, integrado por los hijos
de los naturales, quienes hablaban tan sólo su propia lengua.
Así lo indicó a las autoridades en cuanto fué al pueblo, no
20 sin explicar hasta el cansancio que para los indígenas era
urgente la designación de un maestro que hablara la lengua
de ellos. Pero las autoridades opusieron la falta de recursos,
la penuria del erario local y, luego, que los hijos de los
naturales ya aprenderían el español.

Entonces el maestro reconcentró su afán en formarse un vocabulario de procedencia indígena. Para ello, preguntaba a sus mismos discípulos los nombres de las cosas, nombres que él iba escribiendo en un cuaderno. Intentaba proveerse del instrumento esencial, el idioma; pero ya a la hora de 5 aplicarlo las palabras apuntadas le servían bien poco.

El joven maestro no pudo recoger ni siquiera un mediano vocabulario de la lengua que hablaba una parte de sus discípulos. Por eso concedió toda su atención a los hijos de los mestizos, de quienes no lo separaba ninguna barrera. Los 10 hijos de los naturales, aislados, perdían el tiempo.

En aquel medio nada propicio, el maestro comenzó a fastidiarse. Extrañaba el ambiente del pueblo, al que iba tan sólo en los días domingos. Era verdad que los naturales, por indicación de las autoridades, le cultivaban un pedazo de 15 tierra cuyos productos eran como un sobresueldo; pero sus ojos estaban puestos en otras ambiciones. Terminadas sus labores, ambulaba como un fantasma por los campos. Hablaba solo. Dió por hacer versos a una novia irreal.

Durante los meses transcurridos desde la fundación de la 20 escuela, la asistencia disminuyó en un setenta por ciento: los niños más pequeños no soportaron las diarias caminatas y los más grandes eran retenidos por sus padres, en los trabajos. La asistencia se redujo a los hijos de los mestizos del campo que, por su mejor situación económica y por una 25 mayor confianza en la escuela, siguieron concurriendo.

Por fin, quejándose del calor y de lo que él llamaba rudeza de los naturales, el maestro renunció a su cargo para ir a ocupar un puesto de escribiente en el pueblo donde, según decía, al menos iba a tratar con *gente de razón*. 30

Fué por entonces cuando un inspector escolar tuvo la idea luminosa de preferir para las escuelas rurales con asistencia

de indígenas, a jóvenes de la misma raza, quienes, además
de una preparación adecuada, conocieran ambas lenguas.

Se pensó en un joven indígena que se hallaba como secretario en un juzgado de primera instancia. Nadie como él,
5 se pensó, para incorporar a los de su misma raza al mundo
de la civilización. El inspector, comentando el feliz hallazgo,
decía de él, que iba a ser el mejor lazo de unión entre
blancos y cobrizos.

Ése fué el maestro escogido para servir la escuela rural.
10 Una oferta superior al sueldo del juzgado lo hizo decidirse.
Llegó bajo el agrado de los de su raza, entusiasmado ante
la perspectiva de lo que podía realizar en beneficio de los
suyos.

Al ver que la asistencia de niños indígenas era nula, hizo
15 una visita a las rancherías donde le dieron las más com-
pletas explicaciones de la causa: que les era más urgente el
cultivo de la tierra, que el cultivo de los hijos. Los muchachos también comen —dijo un indio cargado de familia— y,
por lo tanto, también tienen que trabajar. Le hicieron ver
20 la pérdida de tiempo en los constantes viajes. Uno de los
viejos llegó a la conclusión de que la escuela, cuando el
hombre no tiene lo necesario para vivir, es un lujo. Pero lo
que más acarreó convicciones al espíritu del nuevo maestro,
fué el estado de lastimosa desigualdad social: los niños,
25 apenas en condiciones de ejecutar los más llevaderos trabajos, eran enrolados en las listas de los contribuyentes por
los jueces de congregación encargados de recoger la contribución personal; mientras que a él le constaba la liberalidad con que en materia de contribuciones se procedía para
30 con los del pueblo.[1]

De regreso a la escuela, a pie por las veredas de la sierra
donde el esplendor legendario sólo perdura en los árboles y

en los pájaros, pensó mucho en su raza. Recargado en un
enorme flanco de granito, el maestro rural se palpó las
quijadas huérfanas de barba, los pómulos salientes, los lisos
cabellos y se miró las manos de piel cobriza. . . ¡Y que
antes no hubiera pensado en los suyos! [2] El oyó decir 5
muchas veces, en el pueblo, que los campesinos habían recibido tierras para su mejoramiento económico, y al entrar
nuevamente en contacto con los de su raza se convencía de
que las tierras no lo son todo. Muchas tribus, como la suya,
poseían sus tierras desde tiempos remotos y, sin embargo, 10
continuaban en la pobreza y en la ignorancia.

Sin dar un paso, sin abandonar su actitud, recargado en
la misma roca, paseó los ojos, en panorámica, por las laderas
y por todo el valle. No necesitó ir a inquirir sobre la situación económica de los suyos, porque el documento estaba 15
ante sus ojos.

En el vasto paisaje predominaba el verde, casi negro, de
los bosques: tierras ociosas, sin cultivo. Muy abajo, en
grandes cuadriláteros, rombos y triángulos, las labores de
los hacendados: potreros inmensos en que los lugares pre- 20
feridos por las reses presentaban un matiz pajizo, mientras
que los gramillales no frecuentados eran de un verde recatado. Grandes extensiones de un esmeralda profundo y
parejo: los sembrados de caña, próximos ya al corte. Al lado,
campos en gris, casi café: los maizales de los terratenientes, 25
que por haber sido sembrados en su oportunidad, ya presentaban los síntomas de la madurez. Por otras partes, seme-
jando lagos tranquilos, las dilatadas "tablas" de tabaco, en
un verde-azul casi irreal.

Y en los cerros, como timbres de a centavo en grandes 30
cartas de color, las labores de los indígenas. Con su pequeñez denunciaban el poco tiempo que pudo dedicarles el

dueño durante la época más oportuna para la limpia y para la siembra: esfuerzo personal, el esfuerzo de un hombre. Con su matiz de paja nueva, estaban diciendo que el agua no les llegó en su oportunidad y que la sequía hizo pre-
5 matura la madurez.

Calculó el número de los habitantes de la ranchería y luego hizo el recuento de las pequeñas labores: por cada cinco habitantes, un sembrado.

Y en el mismo sitio, recargado contra un flanco de la
10 roca, pensó mucho más: si eran las exigencias de los blancos las que no permitían mejorar a los suyos o si, en verdad, como había oído tantas veces, la miseria se debía a la in-curia de la raza.

* * *

Frente a sus alumnos, el maestro comprendió que no iba
15 a desanalfabetizar a los naturales como él, sino a los hijos de los criollos, trabajadores del campo, quienes, en relación a los indios, se hallaban en un peldaño superior, aunque habitan las tierras bajas. La diferencia está en los niveles de las rancherías: entre los criollos y los indios media el pánico
20 tradicional sembrado por las persecuciones y la explotación, algo así como el termómetro de la desconfianza. Los na-turales, quienes en sus andanzas inciertas recorrieron las márgenes de los ríos y fundaron ciudades en los valles, cuando vino la dominación treparon por las sierras de
25 donde sólo pueden bajar si los guía la confianza.

El maestro, al ordenar sus programas de enseñanza, pen-saba, más bien, en ordenar sus programas sociales. Sus hermanos le confesaron que subsistía para ellos la contri-bución personal, abolida legalmente: luego era necesario
30 denunciar el hecho aun a costa de echarse la enemistad de

las autoridades del pueblo. Le dijeron que las tierras recibidas no habían mejorado para nada su situación económica, tanto por la falta de recursos para cultivarlas debidamente, como por la falta de tiempo en vista de las exigencias
de las autoridades: luego había que gestionar subsidios para 5
hacer frente a los trabajos, refacciones para que el agricultor
indígena no cayera en manos de quienes compran los productos en la mata, herramientas e instructores para abandonar los viejos procedimientos agrícolas. Le habían dicho
que muchas veces tenían que regalar sus productos porque, 10
debido a la falta de medios de transporte, no podían ven-
derlos: luego, era necesaria una vía de comunicación, pero
no como la que tendieron en el valle para unir quién sabe
qué lejanos lugares, por donde va el indígena a pie, envuelto
en el polvo que levantan los carruajes, sino un camino que 15
fuera la salida de las tribus, aisladas por el viejo temor racial. . .

Cuando expuso sus ideas y sus planes ante una junta de
ancianos, éstos se alarmaron notablemente, opinando que
las pretensiones traerían nuevos conflictos, para ellos, ya 20
cansados de persecuciones, fatalistas ante toda promesa de
mejora.

El maestro explicó a su manera el espíritu de las nuevas
leyes. Y, para infundir confianza a los suyos, les dijo que los
más altos funcionarios del gobierno estaban por salvar a los 25
campesinos todos, especialmente a los indígenas, mediante
la escuela y disposiciones de orden económico, tales como el
reparto de las tierras. Para esa labor de convencimiento le
ayudaron mucho las nociones legalistas adquiridas en su
empleo de escribiente en el juzgado.   30

Escribió un largo memorial dirigido al gobernador del
Estado en que, de manera valiente, denunciaba que las

autoridades lugareñas seguían cobrando la contribución personal a los indios. Aprovechó la oportunidad para denunciar,
también, que a los de su raza aún se les obligaba a la prestación de servicios personales sin pago alguno, como do-
5 mésticos en las casas de los influyentes, pero sobre todo en
faenas para la compostura de caminos, para las obras materiales en el pueblo, y en las haciendas de caña.

La respuesta no se hizo esperar mucho. Fué en forma
de copia de la comunicación dirigida por el gobernador al
10 presidente municipal del distrito, en que se le daba cuenta
de la denuncia y en que se le ordenaba, en nombre de los
ideales revolucionarios, que ya no se cobrara la contribución
personal.

Cuando el maestro tradujo a los suyos el contenido del
15 documento, hasta los más viejos dieron señales de respeto
para aquel que, con sólo escribir un ocurso, había logrado
quitar de las espaldas de todos ellos una carga tradicional.
Entusiasmado con su éxito, el maestro reveló sus inten-
ciones: ir con un crecido grupo a la ciudad, para pedir, por
20 conducto del diputado, el reparto de algunas tierras mejores
que las de la ranchería, implementos de labranza; pero, más
que esto, armas con que defenderse de los enemigos, pues
que estaba seguro de que los del pueblo iban a constituirse
en sus enemigos.

25 En aquellos momentos, en medio de los indígenas agru-
pados por un éxito definitivo, surgió el líder.

20

POLÍTICA

CUANTO prometió a sus hermanos lo obtuvo el líder,
a fuerza de tenacidad y audacia. Su mejor apoyo lo fué
el diputado local quien, apenas se percató de que aquel
joven indígena tenía madera de agitador, lo hizo su amigo.
Con él y los comisionados, fué el diputado al palacio de
gobierno, al comité agrario y ante todo hombre público
cuyas influencias podían aprovecharse.

Apenas había regresado de su último viaje a la ciudad,
recibió instrucciones de ir con los suyos a dos rancherías
comarcanas para organizar a los habitantes en forma tal que
pudieran defenderse, porque una guardia blanca, de reciente
formación, estaba a punto de echarse sobre las tierras que
fueron del hacendado.[1]

El líder y sus hombres salieron fogosamente con la esperanza de estrenar las armas recientemente recibidas. ¡Si
hubieran contado con ellas cuando los forasteros dieron
tormento al guía que los llevó al cerro en busca de la mina
y de las plantas medicinales! ¡No tan sólo se hubiera quedado en la barranca uno de ellos, sino los tres!

Parecían otros hombres: ¡tal ánimo prestan una arma
entre las manos y una orden superior! Caminaban airosamente. En la carretera miraron cara a cara a los blancos que
encontraban. Los mismos carruajes, que antes amenazaban
con arrollarlos y que por lo menos los envolvían en una

nube de polvo, entonces tenían la precaución de disminuir la velocidad, todo porque las armas constituían una advertencia. La expedición, compuesta por casi todos los hombres aptos de la ranchería, resultaba imponente. ¡Qué gritos salvajes, de pura alegría! La marcha se hizo más impetuosa después de unas copas tomadas en una venta.

Fueron recibidos de manera entusiasta. La misma tarde que llegaron hubo una junta. El líder, después de exponer que era portador de órdenes escritas por la superioridad y de hacer [2] un voto franco de adhesión y de amistad al diputado, pidió una explicación detallada del conflicto.

Dijeron que, una vez tomadas las tierras, acatando las disposiciones de él mismo, es decir del líder, intentaron posesionarse de otras que eran tenidas como mejores, causa por la cual el terrateniente los había amenazado con las guardias blancas. Ellos —agregaron— estaban dispuestos a defenderse; pero carecían de las armas necesarias. . .

Después de un cambio de pareceres entre los viejos y el líder, éste resolvió que al amanecer les daría posesión. Durante la noche hubo comilona y baile, en su honor. Lo agasajaron como al diputado cuando visitó su ranchería.

Al amanecer comenzaron a bajar de las sierras rumbo al valle. Bajaban como en otros tiempos cuando iban a excursionar por el río, a la pesca o a la busca de las frutas silvestres. Pero entonces llevaban red y chuzo, en lugar de carabina y machete. Al llegar a los terrenos del hacendado, cortaron los alambres y, abriendo brechas a manera de linderos, tomaron posesión. En eso se hallaban cuando apareció un grupo de armados. Era la guardia blanca.

Protegidos tras los troncos, en los veinte minutos que duró el tiroteo, naturales y atacantes tuvieron apenas dos bajas. Los dos bandos se fueron retirando con grandes precauciones, para llevarse a sus muertos en camillas improvisadas. De hecho, la lucha estaba entablada. Esa noche, reunidos en gran mitin los indígenas, acordaron solicitar más armas y más terminantes instrucciones a la superioridad, cuando menos al diputado.

Se presentó entonces el problema económico, porque las vueltas a la ciudad significaban dinero. El líder impuso una cuota a cada jefe de familia. Hubo algunos que objetaron lo innecesario de la lucha, pues que les bastaba con las tierras que ya habían obtenido, pero se impuso el dicho del líder, diciendo que ya no se trataba de las tierras, ¡sino de sostener un principio! Y partió con una numerosa comitiva.

Y, con la comitiva, los portadores de presentes destinados a los poderosos sostenes políticos del líder: un indígena, cargando durante tres días, el guajolote de grandes "corales," para el señor diputado. Otro, con tres gallinas gordas, para el señor gobernador. Los otros, con bultos de maíz escogido y frijol nuevo, para los demás influyentes.

Antes, esos mismos regalos, fueron para el jefe político y para el abogado.

También el hacendado, según se supo después, se trasladó a la ciudad para defender sus derechos. Las autoridades dijeron, ante las dos exposiciones de hechos, que el caso sería estudiado detenidamente. La impresión fué la de que los funcionarios ya estaban hartos de contiendas como aquélla. El diputado prometió a la comisión seguir trabajando el asunto, a cambio de que el líder siguiera controlando rancherías: era que se avecinaba la lucha política y el diputado local aspiraba a la curul en el congreso general.

A las dos semanas, el líder recibió órdenes de organizar toda la gente, porque el diputado había resuelto celebrar una gran manifestación en la cabecera del distrito, como prueba de su vasta popularidad, de su identificación con los humildes y para iniciar con ella la campaña electoral. En la misma carta le dijo que, en vista de sus grandes cualidades, se había permitido incluirlo en la planilla, como su suplente.

5 Con tal perspectiva política, el líder redobló sus actividades. Dijo a los suyos que, tan sólo esa posibilidad, ya era una promesa de mejoramiento para todos: ¡tener un representante de su propia raza! No hubo quien se resistiera al desempeño de cualquiera comisión por muy peligrosa que
10 fuera.⁴

El día de la manifestación, de todas las sierras bajaban indígenas con rumbo al pueblo. Se blanquearon los caminos con los sombreros de palma. Cruzaron el valle. Las calles comenzaron a llenarse. La multitud pasó por la mitad de
15 la población para ir a la otra garita donde fué dada la bienvenida al diputado local y candidato a diputado federal,⁵ entre estallidos de cohetes y estruendo de la música.

El contrincante político, que también había organizado su manifestación sin contar con más gente que la del pueblo
20 y algunos elementos de las haciendas, tuvo que refugiarse en el edificio de la presidencia municipal. El líder de los indígenas, el primero de los oradores que se dirigieron a la muchedumbre, teniendo a la derecha al diputado, pronunció un largo discurso en la lengua de los suyos: tierras, escue-
25 las, armas, implementos de labranza, refacciones, etcétera.

Por la tarde, como no eran pocos los manifestantes que se habían emborrachado, el pueblo presentaba el aspecto de una plaza tomada por la fuerza. Las casas de los tenidos como principales, permanecían cerradas. La evacuación fué
30 tumultuosa, después de que la multitud hubo despedido al candidato.

En los lugares donde se bifurcan las veredas, se fueron

desprendiendo los distintos grupos hacia sus respectivas con-
gregaciones. El líder, ya de regreso en su ranchería, antes
de que se dispersaran sus hombres, expuso con toda franqueza que el diputado su amigo necesitaba dinero para
proseguir la campaña y que, cada jefe de familia, tendría 5
que dar una cuota.

* * *

Una noticia vino a sembrar la alarma: el líder fué notifi-
cado de que las guardias blancas de los terratenientes, en
complicidad con las autoridades del pueblo, intentaban sorprender la ranchería para quemar las casas y procurar la 10
muerte del nuevo político, a quien consideraban como una
verdadera amenaza, dada la manifestación de fuerza hecha
el día del desfile por las calles.

La ranchería se transformó en un campamento. En las
entradas se levantaron cercas de piedra a manera de trin- 15
cheras. En los sitios más propicios de los caminos se instalaron puestos avanzados protegidos también por *tecorrales,*
sitios a los que fueron enviados los poseedores de armas
de fuego. El joven lisiado, precisamente por insignificante,
recibió instrucciones de ir a colocarse a la orilla de la ca- 20
rretera, allá abajo, medio oculto en la maleza, para dar la
señal en el caso de que se aproximara el enemigo, aviso que
recibiría el guardián colocado en una saliente a manera de
mirador, en lo más alto de la sierra.

A diario partían correos con diversos destinos: avisos de 25
reconcentración, órdenes, contraórdenes, cartas al diputado,
protestas a la autoridad. . . De hecho eran dos los puntos
de vigilancia: el de la guerra con las guardias blancas y el
de la política electoral.

Los viejos, representantes de la prudencia, pero también 30

de la flaqueza, aconsejaban la huída tradicional: tomar, como en otras ocasiones de pánico, las veredas más intrincadas, e ir en busca del refugio siempre cobijador de la cueva o de la choza, en plena espesura. Pero se impuso el líder.

Por fin se recibió una comunicación diciendo que las guardias blancas estaban prevenidas por orden muy superior de que, en caso de registrarse otro hecho de sangre, ellas serían las culpables, porque su actitud sólo tenía por objeto restar elementos a uno de los candidatos en pugna, en los comicios.

La política, relegando a un segundo término la idea esencial de dotar de tierras a las mayorías como medio de lograr su mejoramiento económico. Largos cordones de trabajadores, indígenas y mestizos, recorriendo los caminos, llevados y traídos por los líderes, para hacer presentes sus fuerzas ante los políticos superiores.

Todo un escalonamiento de intereses: ir y venir de los campesinos para celebrar las juntas precursoras de las elecciones generales; peregrinaciones de campesinos en apoyo del candidato a gobernador; abandono de los campos, sólo para ir a la cabecera del distrito donde es necesario hacerle un gran recibimiento al candidato a diputado; concentraciones para defender la causa del presidente municipal; grupos simpatizadores de un regidor; comisiones para pedir otro delegado ejidal; viaje para que no sea quitado el juez de la congregación. . . Y, tras los campesinos, los líderes arreando el rebaño.

Y de la pugna de tantos intereses surgió una nueva modalidad en el ataque: la emboscada. A la ranchería llegaban diariamente las noticias de sangrientos e inmunes atentados:

la descarga desde el monte, para suprimir lo mismo al funcionario, que al terrateniente y que al indígena.

Cuando los naturales, en largas hileras, se dirigieron al pueblo en el día preciso de las elecciones, de paso por las mejores tierras, los viejos lamentaron el no haber tenido tiempo para limpiar los campos y mucho menos para sembrarlos. Las palabras *cintli* y *etl,* refiriéndose al maíz y al frijol, eran pronunciadas con cierto temor: el temor tradicional de una raza que ha sufrido hambre.

21

DESCONFIANZA

EL lisiado sigue en su escondite de vigía, desconfianza asomada a la carretera —que es la civilización— desde la breña. En lo alto de la serranía, otro aguarda la señal. Como todos los suyos, sólo saben que la *gente de razón* quiere atacarlos; que en la sierra y en el valle, los odios, en jaurías, se enseñan los dientes; y que el líder goza de buena situación en la ciudad.

NOTES

1. ORO

1. **se desató de la cintura:** *untied from her waist.* With parts of the body and articles of clothing the dative is used in Spanish to indicate the possessor; the definite article instead of the possessive pronoun stands before the thing possessed.

2. **a los que . . . carga:** *which were followed by a pack mule.* The **a** is here merely a sign to indicate that **los que** is the object of **seguía.**

3. **clavada . . . sierra:** *perched up on the mountain.*

4. **El que iba adelante:** *the leader.*

5. **a tiempo:** According to current Castilian usage this should be **al mismo tiempo.**

6. **hacía . . . compañeros:** *he caused his companions to notice;* i. e., *he called his companions' attention to.* Hacer meaning "to cause" is followed either by a complementary infinitive or by **que** with the subjunctive. **a sus compañeros** is the direct object of **hacía** and the subject of **notar.**

7. **se . . . frente:** *wiped the sweat from his brow.* See Note 1.

8. **tuvieran:** The imperfect subjunctive is used here in the if-clause of a contrary to fact condition.

9. **se hubieran . . . blancos:** *would have become accustomed to dealing with the whites.* The pluperfect subjunctive is used here in the conclusion of a contrary to fact condition. The if-clause is implied from the preceding sentence.

165

10. **regalen:** The subjunctive is used here in an indirect command.

11. **hizo que . . . puerta:** *caused the door to be opened.* See Note 6.

12. **Parapetado . . . madre:** *Hiding behind his mother's legs as behind a parapet.* A Spanish past participle is frequently best translated by an English present participle.

13. **causaran = habían causado.** The form of the pluperfect indicative in -ara and -iera (from the Latin pluperfect -averam etc. and -eram etc.) is more frequently used by Spanish American writers than by Spanish writers.

14. **Por sobre:** Pleonastic. Either **por** or **sobre** would be sufficient. This phrase recurs frequently in the text.

15. **se alojaran:** The subjunctive is used here in an adjective clause referring to an indefinite antecedent.

16. **fué aceptada:** The true passive (**ser** + past participle) is more frequently used in Spanish America than by Castilian writers. The more current Castilian usage would substitute the reflexive construction, **se aceptó.**

17. **unírseles:** *to join them.* **Se** is the direct object of **unir; les,** the dative.

18. **¡Si será usted ingenuo!** *Well, if you aren't a simpleton!* **Si** at the beginning of an exclamatory sentence is frequently used for emphasis. It may be translated in various ways, "Well," "Why," etc. The future is used here to express conjecture.

19. **no tiene . . . aquí:** *has not been here many years.*

20. **Lo importante:** *The main thing.* The neuter article **lo** converts the adjective into an abstract noun.

21. **haremos . . . esfinges:** *we will make these sphinxes talk.* See Note 6. The sphinx is the symbol of inscrutability.

22. **hablen:** The subjunctive is used here in a dependent clause expressing indefinite time in the future.

23. **la novedad de que:** *the news that.* When a Spanish word would require a preposition before a following noun, it requires the

same preposition before a noun clause. This preposition is not to be translated into English.

24. **Los puso en guardia sobre que:** Supply **el hecho de** after **sobre.**

25. **no saber nada** = **que no sabía nada.** López y Fuentes frequently uses an infinitive construction instead of a short clause in indirect discourse.

26. **fué abierto:** See Note 16.

27. **Aplaudir . . . tortillas:** The tortilla, a round, flat pancake of cornmeal, is the principal article of the Indians' diet. The native women grind the corn themselves with primitive implements. They pat the dough into shape with their hands.

28. **"linda . . . echada":** *"The brood, hale; and the hen, stale."* (Quoted from the translation by Anita Brenner. See BIBLIOGRAPHY.)

29. **distinguirse:** Supply **entre.**

30. **se dejó matar:** *let himself be killed.* The active infinitive after **dejar, permitir, mandar, hacer,** etc., often has passive meaning.

2. MESTIZAJE

1. **gangosos:** *hoarsely.* Adjectives are frequently used as adverbs in Spanish.

2. **roban al maíz:** *steal from the corn.* **a** is here the sign of the dative of separation.

3. **invaliden:** The subjunctive is used here after an expression of emotion.

4. **sin que . . . caiga:** The subjunctive is always used after **sin que.**

5. **esto es:** an elliptical expression equivalent to **tienen que.**

6. **a pegar:** elliptical. Read **salen a pegar.**

7. **todavía de regreso:** elliptical. Read **están todavía de regreso:** they *are still on their way back.*

8. **haga:** See 1, Note 15.

9. **si es que . . . fué:** Translate in the following order: **si no es que el trabajo fué.**

10. **no haber trabajo = que no hay trabajo.** See 1, Note 25.

11. **hecha . . . día:** *once it was broad daylight.* In Spanish an absolute construction consisting of a noun or pronoun modified by an adjective or past participle is often used where English requires a clause.

12. **unos:** Omit in translating.

13. **le bastaba . . . ojos: verle los ojos** is the subject of **bastaba: le** the indirect object.

14. **persistiera:** The subjunctive is used here in a conditional clause of imaginary comparison introduced by **como si.**

15. **convencida . . . perseguidor:** *convinced that her pursuer was blocking the road to the settlement.* **se** is dative of interest; **lo** is a redundant pronoun representing the direct object. Such a pronoun is used in Spanish when the noun object precedes the verb. See also 1, Note 23.

16. **sin venganza = sin haberse vengado.**

17. **fueron llegando:** *began to gather.* **ir** is often used as the auxiliary of the progressive form of the verb when the idea of gradual progression or motion is involved.

18. **debería:** According to current Castilian usage this should be **debiera.** The subjunctive is used in a relative clause when uncertainty is implied; here the uncertainty is due to the fact that the action is still to take place.

19. **alojaran:** See 1, Note 13.

20. **iba tejiendo:** *kept on weaving.* See Note 17.

21. **informara:** See 1, Note 10.

22. **junta . . . asistía:** *a meeting which he was not attending.*

23. **por temor a que:** *for fear that.* See 1, Note 23.

24. **fueran:** See Note 3.

25. **podía . . . pareja:** *one could see his white, even, closely set teeth.* See 1, Note 1.

26. **pudiera:** See 1, Note 22.

27. **Todo era de temerse:** *Everything was to be feared.*

28. **tenga:** The subjective is used here in an adjective clause with **an** antecedent whose existence is denied.

29. **al correr de los siglos:** *through the course of the centuries.* The long story of the wrongs which the Indian has suffered from the white man goes back to the days of the conquest of Mexico by Hernán Cortés (1519).

30. **hablara:** See 1, Note 6.

31. **acompañara:** See 1, Note 15.

32. **él era sabedor . . . una orden:** él era sabedor de las consecuencias que el no atender una orden ha tenido siempre para su raza. **el no atender una orden** is the subject of **ha tenido.**

33. **en el más viejo:** This phrase modifies **la mirada.**

34. **no era de accederse:** *they ought not to yield.*

35. **deberían** = debieran. A less vivid future condition is implied.

36. **deberían ser llamados . . . coyomes:** *all the men should be called together and should put the whites to death.*

37. **Al viejo . . . palabras:** *The old man's fury was apparent only in the meaning of his words.*

38. **recorrieran:** The subjunctive is used here in a clause of purpose.

3. ÁGUILA QUE CAE

1. **se puso fuera . . . fotográfico:** *moved out of the field of the lens.*

2. **quiera:** See 1, Note 15.

3. **cause:** See 1, Note 15.

4. **es que:** Omit in translating.

5. **insistiera:** The subjunctive is used here in a causal clause introduced by **como**.

6. **faltaría . . . caminado:** *they had probably gone about half way.* The conditional here expresses conjecture.

7. **La complacencia . . . exploradores:** Read **La complacencia del guía más bien que la oportunidad, tentó la codicia de los exploradores.**

8. **insistieran:** See Note 5.

9. **eran partidas:** See 1, Note 16.

10. **aparecieran:** The subjunctive is used here in an adverbial clause introduced by **sin que.** See 2, Note 4.

11. **al grado de que:** *and this to such an extent that.*

12. **en ir abriendo:** *in constantly opening.* See 2, Note 17.

13. **donde acaso . . . insistentemente:** *where perhaps turbulent waters pounded insistently in the days when the world was young.*

14. **descubrir:** See 1, Note 30.

15. **ella:** refers to **ladera.** Omit in translating.

16. **de las que:** *of the kind that.*

17. **se auxiliaban . . . manos:** *helped pull each other up by the hands.*

18. **ayudara:** See 1, Note 6.

19. **que se les viera:** *their being seen.* The impersonal reflexive verb is used here as a substitute for the passive. The receiver of the action, being animate and capable of performing the action, remains as object of the verb. **impedir** is followed either by an infinitive or by **que** with the subjunctive. In the preceding line the infinitive is used and the subordinate subject expressed by the dative pronoun **les**; in the present clause there has been a change

in the subordinate subject and therefore a change from the infinitive to the subjunctive mood of the verb is necessary.

20. consideró: *had considered*. The preterite may be used in Spanish to include the initial point of the action of the verb.

21. Que: depends on ordenó in the preceding sentence.

22. no saber nada: See 1, Note 25.

23. de hallar los tesoros: *if they found the treasures*. López y Fuentes frequently uses de + infinitive to express a condition.

24. pudiera: The subjunctive is used in an adverbial clause referring to indefinite future time.

25. se iba alzando: *kept moving upward*. See 2, Note 17.

26. hables: The subjunctive is used in a noun clause which is the subject of a verb. This construction occurs frequently with such impersonal expressions as es mejor, conviene, es necesario, importa, es costumbre, es muy frecuente, etc.

27. cóyotl: This Aztec word for "coyote" is used also to mean "white man."

28. La inutilidad . . . propósito: *The uselessness of the procedure increased in violence their (original) plan;* i. e. *Their lack of success in this procedure made them use more violent measures than they had originally intended.*

29. retiene: Note the colloquial use of the present indicative in the if-clause of a contrary to fact condition.

30. respondiera: See Note 5.

31. fuera abandonada: See Note 26, and 1, Note 16.

32. Puesta . . . tierra: *Kneeling down with one knee on the ground.* See 2, Note 11.

33. fué rodar . . . tumbos: *he went rolling and tumbling.*

34. estaba por llegar: Estar por usually indicates only that an act remains to be performed, while estar para implies that it is about to

be performed; here the author seems to use **estar por** where **estar para** would be expected.

4. GUERRA

1. **de no haber hallado:** *if he had not hit against.* See 3, Note 23.

2. **Coyome:** This word is from the same stem as **cóyotl.** See 3, Note 27.

3. **Al más joven . . . la cabeza:** See 1, Note 1.

4. **no sin que . . . parque:** *not without their (the Indians) pro-voking some volleys deliberately with the idea of using up their (the white men's) ammunition.* See 2, Note 4.

5. **creyendo:** The subject of the gerund, **creyendo,** is ellos, understood, and referring to **los naturales.** As the sentence stands, the grammatical subject is **cada una de las rocas,** which is manifestly absurd. This careless use of the gerund is frequent but none the less incorrect. The same carelessness in the use of the present participle is also frequent in English.

6. **se aglomeraran:** See 1, Note 13, and 2, Note 19.

7. **eran . . . represalias:** See 2, Note 27.

8. **De faltar . . . pocos:** *Very few, if any, were missing.* See 3, Note 23.

9. **con ser de:** *although they belonged to.*

10. **fueran:** See 3, Note 24.

11. **¡Ahí su fuerza!** *Therein lay their strength!*

12. **Si les tuercen . . . rompérselos:** *If they twist your arms until they break them.*

13. **Ya en la madrugada . . . cosecha:** *By the time morning came the exodus consisted only of the grown men who were leaving for the second time carrying with them part of their last harvest.*

14. **Al amanecer . . . desfilaron:** *When day broke the elders filed out.*

5. CASTIGO

1. **pues la respuesta . . . culpables:** *for in their reply it was ordered that the offenders should be punished.*

2. **al pisar sus sombras:** *when they trod on their shadows,* i. e., *when the sun was well up.*

3. **Dadas . . . convenidas:** See 2, Note 11, and 3, Note 32.

4. **Lo más fácil . . . perdieran:** *What was easiest (to believe) was that the bullets might be lost;* i. e., *Most probably the bullets were lost.* See 3, Note 26.

5. **que parecía . . . pueblo:** *who did not seem to be resigned to having been dragged away from the town.* See 1, Note 23, 2, Note 3, and 3, Note 19.

6. **el movimiento . . . gatillo:** *the motion of pulling the trigger.*

7. **hay mucha tesis:** *there are many theories.*

8. **ellas:** Note the use of the plural pronoun to refer to the noun **tesis**, which modified by **mucha**, though grammatically singular, is logically plural.

9. **De no exterminársele:** *If he is not exterminated.* See 3, Notes 19 and 23.

10. **para los que . . . superiores:** *for us who are physically and intellectually their superiors.* The verb agrees with **nosotros**, elliptically omitted after **para**.

11. **hayan huído:** After **el hecho de que** the verb in the appositive substantive clause is usually in the subjunctive.

12. **cortó . . . disertación:** *cut short the gesture with which the teacher was about to continue his speech.* The agreement of **cortó** with its subject, **unos gritos dados**, is idealogical rather than grammatical.

13. **Será la de usted:** *Yours, maybe.*

14. **que destruyeron . . . servidumbre:** ignorancia and servidumbre are the subjects and **que** is the object of **destruyeron.**

15. **redima:** See 3, Note 26.

16. **llevaran:** López y Fuentes frequently uses **llevar** to mean "to bring (to a place)" where current Castilian usage would require **traer.** Castilian rigidly observes the distinction between **llevar** and **traer.**

6. SUMISIÓN

1. **se les necesitaba . . . se les proponía:** In the first clause **les** is the direct object of the verb (See 3, Note 19); in the second clause **les** is the indirect object.

2. **intereses:** *the interests of both sides.*

3. **De existir . . . confianza:** *If more confidence had existed then,* i. e., *If they had had more confidence.*

4. **las = las cosechas.**

7. LA TABLA DE LA LEY

1. **El sol . . . domingo:** *The sun made golden the façade of Sunday,* i. e., *It was a Sunday bright as gold.*

2. **El mismo que . . . campo:** *Like that suggested by a chromo representing the Day of the Dead, which is commonly found in the houses of country people.*

3. **esa estampa . . . niños:** *what an influence that picture has on the imagination of children.*

4. **por las que:** las que here is the relative pronoun *which.*

5. **Los de las compuertas:** *Those stationed at the sluices.*

6. **por ellos:** *for themselves.* The current Castilian usage would be **por sí mismos.**

7. **ella:** *they,* i. e., *the authorities.*

8. EL CONSEJO DE ANCIANOS

1. **fuera:** See 5, Note 11.

2. **se reunan:** See 3, Note 26.

3. **quedando cerrado . . . casarían:** *thus sealing our children's marriage contract.*

4. **por estar como está: por** = *because,* as so often when used with the infinitive.

5. **Si eso pensaba . . . avisado:** *If he intended to do this his son should not have told us.*

6. **de que lo devoraran:** The subjunctive is used here in a noun clause after salvó, a verb of preventing.

7. **robándole a la mujer:** *by stealing his wife from him.* le is dative of separation. See 2, Note 2.

8. **las gallinas, la abundancia:** *the hens as symbols of abundance.*

9. **el agua . . . salud:** These three phases of water are of fundamental importance in the life of the Indian; the rain makes the earth fertile, the rainbow promises fair weather, and man's health depends upon a plentiful supply of pure drinking water.

9. MÚSICA, DANZA, Y ALCOHOL

1. **los que . . . estorbos:** *any things which might be obstacles.*

2. **volador:** "Ancient Indian ceremonial game. . . . Literally the word means flier in Spanish and was applied by the Conquistadores to this spectacle. Its name in Aztec is *patlancuáhuitl*. It is a symbolic dramatization of the four winds and the forces of nature."—Anita Brenner's translation, p. 116, note. (See BIBLIOGRAPHY.)

3. **topilis:** "Indian officials who act as marshals and messengers and make themselves generally useful. Most young men discharge this service for a certain period of time."—Anita Brenner's translation, p. 117, note.

4. **al caer . . . cortadas:** *when they were cut off and fell like heavy blows from a hand.*

5. **se antojaba:** Note that López y Fuentes uses the verb **antojarse** without the dative personal pronoun.

6. **Más que por la danza . . . oficiar:** *The people had assembled in front of the house more because the priest had begun to say mass than because of the dance.*

7. **Sólo cada año:** *Only once each year.*

10. SUPERSTICIÓN

1. **tepehuas:** "The name of a savage nomad tribe that lived by loot. The ants that are known by this name have that character too. They are dark insects, almost as large and just as fierce as the red ant, but thinner."—Anita Brenner's translation, p. 134, note.

2. **llevara:** See 5, Note 16.

3. **hallarse** = que se hallaba.

4. **me busca el daño:** *seeks to do me harm.*

5. **tengo con qué:** *I have the means with which.*

6. **había llevado:** See 5, Note 16.

7. **el hijo:** *the (enemy's) son.*

8. **consumiera:** The subjunctive is used to express a wish.

9. **que:** Tautological. Omit in translating.

10. **nahual:** "A supernatural human being who can become any animal at will, assuming its appearance and powers, with special magic of his own besides. Also, a human being whose soul dwells at the same time in some powerful animal. The widespread belief has many variants in American Indian lore. The main idea is of a 'loose' or detachable spirit, which can house its powerful magic in many forms. In Mexico it is frequently pictured as a bird with

a human head, an image found also in ancient Egypt."—Anita
Brenner's translation, p. 147, note.

11. **sean:** See Note 8.

12. YOLOXÓCHITL

1. **que era a ella a quien:** *that it was she whom.* Notice that **ella,** the subject of **era,** has been attracted into the case of **a quien,** object of **tocaba.**

2. **Si a la víbora . . . veneno:** *If the viper's brains are taken as a remedy against its own venom.* See 2, Note 2.

13. HOMBRE DE MONTE

1. **Pero el haber . . . semana:** *But having had word that she was improving and having been offered a shotgun in payment for his second week's work.*

2. **El regreso . . . lo hizo:** *He made his way back to the settlement.* See 2, Note 15.

3. **huipil:** "Native tunic blouse made with a single piece of cloth doubled over; the standard garment since long before the coming of the Spaniards, and still in use among most peasant women in Mexico and Central America."—Anita Brenner's translation, p. 125, note.

4. **que por enjutos . . . carrizo:** *which were so thin that they looked as if they were made of reeds.*

5. **Quien no haya visto:** *Anyone who has not seen.* For subjunctive see 1, Note 15.

6. **de que el olfato . . . algo:** *that they had scented something.*

7. **en las batidas . . . lugar:** *when there was hunting in that neighborhood.*

8. **a tiempo que** = al mismo tiempo que. See 1, Note 5.

9. **mataría . . . se tomaba:** Note that these verbs, though in parallel construction, are in different tenses. Both are in the conclusion of a future less vivid condition whose if-clause is implied.

10. **precisamente . . . tamborcillo:** *from which, of course, the animal gets its name, "little drum."*

14. OTRA VÍCTIMA

1. **pues que . . . podido:** See 3, Note 23.

2. **El indígena llegó:** *The Indian arrived (at their ranch).*

3. **Al llegar . . . cintura:** *When he was up to his waist in the water.*

4. **"como estaban pagando los drogueros":** *"since the dead beats were paying up."* This saying is used by the Mexican peasant when the rain falls while the sun is shining because to his mind the one situation is as incongruous as the other.

5. **sin que . . . fatalidad:** *but not one of them even once alluded to the fact that the members of their race were always those victimized by fate.*

6. **como cumpliendo . . . mandato:** *as if they were simply carrying out an order.*

7. **Ésta era:** *Once upon a time there was.* This is the usual way of beginning a fairy story.

8. **para que ya no lo hagas:** *so that you won't do it again.*

9. **Cuando ya tenían . . . buscándola:** *When they had been looking for her for three days.* See 1, Note 19.

10. **Se echó a reír . . . condenado:** *The son-of-a-gun began to laugh as if they were tickling him.*

11. **arriba:** This story has been a favorite since the 16th century. One version of it appears in Juan de Timoneda's *El sobremesa y alivio de caminantes* (Valencia, 1569), required in BAE, Vol. 3, p. 169, and in *Spanish Wit and Humor* edited by Rubio and Néel (New York, 1932), p. 35; another version was used by Lope de

Vega in *La selva confusa* (Cf. ed. Acad. Esp., Vol. 9, p. 366). An earlier variant of the same theme is told by the Arcipreste de Talavera (1398–1470?) in *El Corvacho,* Part II, Chapter VII (Cf. ed. Sociedad de Bibliófilos Españoles, 1901, p. 156).

15. REVOLUCIÓN

1. genta de razón = gente que siempre tiene(n) razón, i. e., *those who are always right, those in power, the white people.*

2. Hasta . . . una noche: *Until, after some months had passed and after a night.*

3. decían . . . naturales: *meant very little to the Indians.*

4. Fué hasta después de mucho tiempo: *It was only after a long time.* López y Fuentes uses hasta as an adverb with the force of the German *erst,* meaning "only (then)," "not until."

5. en que . . . siempre: *which the natives had come to believe would last forever.*

16. EPIDEMIA

1. petate: a thin mat of woven straw which is the only bed used by the Indians.

2. Vió . . . a ella: Correct Castilian usage would require here the unstressed pronoun la before the verb. The use of the stressed pronoun alone is rare; see Keniston, *Spanish Syntax List,* 6.621.

3. hasta: See 15, Note 4.

4. tzocoyote: also xocoyote, "little coyote."

5. nombre . . . hijos: *a word which they use for "whooping-cough" and also (as a nickname) for the youngest of the children.*

6. Tantos viejos como sedientos había = Tantos viejos (indios) como (políticos) sedientos había.

7. una vez . . . libertario: *now that the revolutionary movement was victorious.*

8. **Dos palabras . . . salvedad:** *A few words whispered in his ear immediately caused him to make a reservation (to the effect).* The numbers dos and cuatro are frequently used in Spanish to indicate a small indefinite number.

9. **Tal vez . . . ninguno:** Read: Tal vez pensaron los naturales que no disfrutaban ninguno de esos servicios para los que pagaban. . .

10. **que recibían . . . jornalear:** *who received money for forced labor.*

17. LA TRADICIÓN PERDIDA

1. **una vez . . . construcción:** *when once he had laid out the lines for the building.*

18. LOS PEREGRINOS

1. **deseoso de que** = porque deseaba.

2. **para ellos** = para sí mismos: See 7, Note 6.

3. **Les sucede . . . nuevo:** *The same sort of thing happens when they have a new hat.*

4. **presente . . . santo:** *one more present with which to show honor and respect to the saint.*

5. **La tribu . . . asombro:** *The Indians stood at the door of the temple, crowded together like trees in a forest, dazed with awe.*

6. **con su actitud . . . asombro:** *in their very attitudes they were statues of awe-struck humility.*

7. **éxodo:** the exodus of the Indians driven from their ancestral homes by the conquering white men in the 16th century.

8. **un sol . . . quemando:** sol is *sun* or, by metonymy, the burning heat of the sun on the bodies of the Indians as they worked. The passage means that the sun burned them before the Spaniards came, burned them most fiercely during the colonial period (1519–1823) under the Spaniards' ruthless rule, because they were constantly out at work in it, and it still continues to burn them.

9. **atrio:** The **atrio** is a large space or yard in front of the church. It is surrounded by a wall, and has in each corner a shelter from within which the priest used to preach to the Indians, who were often not permitted to enter the church.

19. EL LÍDER

1. **mientras que . . . pueblo:** *whereas it was evident to him that great liberality was practised toward the people of the town in the matter of taxes.*

2. **¡Y que . . . suyos!** *And to think that he had not concerned himself with his people before!*

20. POLÍTICA

1. **que fueron del hacendado:** *which had belonged to the landed proprietor.*

2. **y de hacer** = y después de hacer.

3. **la de que:** *that.*

4. **No hubo . . . fuera:** *There was not one who would refuse to carry out any order no matter how dangerous it might be.* **resistiera:** See 2, Note 28. **fuera:** The subjunctive is used in clauses of concession.

5. **al diputado . . . federal:** *to the local deputy who was now candidate for federal office.*

6. **dada . . . hecha:** *in view of the demonstration of strength shown.*

VOCABULARY

WITH the exceptions noted below, the vocabulary is intended to be complete. It does not include: (a) easily recognizable cognates whose meanings are identical with those of the corresponding English words; (b) articles; (c) personal pronouns; (d) possessive adjectives and pronouns; (e) cardinal numerals; (f) names of days and months; (g) adverbs in -mente whose corresponding adjectives are given; (h) common diminutives and augmentatives. Names of fictitious persons and places are given only when they deserve comment.

The gender of nouns is marked except in the following cases: names of male beings, agent nouns in -or, and masculine nouns ending in -o; names of female beings, and feminine nouns ending in -a, -ez, -ión, -dad, -tad, -tud, -umbre and unaccented -ie.

ABBREVIATIONS

adv. adverb	*n.* noun
aux. auxiliary	*neut.* neuter
coll. collective	*pers.* person
conj. conjunction	*pl.* plural
f. feminine	*p. p.* past participle
impers. impersonal	*prep.* preposition
Ind. Indian	*pron.* pronoun
infin. infinitive	*rel.* relative
interj. interjection	*sing.* singular
m. masculine	*Mexicanism

A

a, to; at; by; on; for; into; in; with; of; from; about; *sign of the objective case;* **al** + *infin.,* upon; — **que,** until

abajo, down; below; low; **cuesta** —, downhill; **hacia** —, downward, downhill; **muy** — **(de),** far below; **río** —, downstream

abandonado, -a, abandoned; put aside, given up; **dejar** —, **to** abandon, drop

abandonar, to abandon, leave behind, give up, leave

abandono, abandon; neglect

abastecimiento, supplying, providing

abierto, -a, open, outstretched; forked

abismo, abyss, depths

abogado, lawyer

abolido, -a, abolished

abono, fertilizer

abotagado, -a, swollen

abrigar, to harbor, cherish

abrigo, shelter; **al —,** under the protection

abrillantado, -a, made brilliant, glistening

abrir, to open; **— a golpes,** to smash open; **— el apetito,** to give an appetite; **—se,** to be opened; **—se paso,** to make one's way

abrupto, -a, craggy; **lo más —,** the most rugged part

absolutamente, absolutely, entirely

absurdo, -a, clumsy; clumsily, absurdly

abuelo, grandfather; *pl.,* ancestors

abultamiento, bulkiness; swelling

abundancia, abundance

abundante, abundant, plentiful

abundar, to abound, be plentiful

acabar, to end; **— con,** to destroy, wipe out

acallado, -a, soft, low

acantilado, -a, steep, bold; *n. m.* cliff

acariciar, to caress, stroke

acarrear, to haul, carry, bear

acarreo, carrying, hauling

acaso, perhaps, perchance

acatamiento, obeisance, response

acatar, to respect; obey

acceder, to accede, yield, consent

acción, action; encounter

aceite, oil

acento, tone, pitch

aceptar, to accept

acerca de, concerning

acercar, to draw up (a chair); bring; **—se,** to draw near, approach

acero, steel, blade

acompañante, companion

acompañar, to accompany, conduct

aconsejar, to prescribe, advise

acordar, to agree, decide; **—se de,** to remember

acorde, *m.* tune, chord

acorralado, -a, trapped

acostumbrar, to be accustomed; **—se a que,** to become accustomed to the fact that

acreditar, to accredit; **— como,** to entitle to be

actitud, attitude, action, position; *pl.* demeanor; **rectificar su —,** to change one's mind

activamente, actively

actividad, activity

acto, act; ritual

acuáhuitl, *m. (Ind.)* "surfboard"

acuarela, water color; faint tints

acudir, to come

acuerdo, agreement

acusar, to accuse

achaque, *m.* matter

adecuado, -a, suitable; adequate

adelantar, to put out, advance; —se, to go on ahead

adelante, ahead, in front, further on; hacia —, forward

ademán, *m.* gesture, manner

además, moreover; — de, besides

adentro, inside; río —, into the river

adhesión, loyalty

admirar, to admire; —se, to wonder, be amazed

adoptar, to adopt, accept, assume, take on

adornar, to adorn, ornament

adorno, ornament

adquirir, to assume, acquire

adquisición, acquisition

aducir, to point out, make clear, explain, give

adulto, -a, dense; full-grown; late

adulto, adult, grown person

adversario, adversary

advertencia, instructions; warning

advertir, to inform, tell; notify, give notice, warn; sense

afán, *m.* industry, endeavor

afanoso, -a, laborious, eager

afectar, to affect

afición, fondness

afilado, -a, sharp, pointed

afilar, to sharpen

afirmativo, -a, favorable

aflojar, to loosen

afuera, outside, out of place; *n. f. pl.* outside

agachado, -a, bent over

agalla, gill

agasajar, to treat, entertain; present

agasajo, gift, treat

ágil, light; quick

agilidad, agility, ease

agitación, excitement

agitador, agitator

agitar, agitate; wag (a tail)

aglomeración, cluster

aglomerar, to crowd; —se, to press forward

agonía, death-rattle

agotar, to exhaust; drain

agradable, pleasing, agreeable

agradecido, -a, grateful, appreciative

agrado, liking, pleasure; rejoicing; no fué del — de, did not please

agrario, -a, agrarian

agredido, one attacked

agregar, to add

agresión, attack

agresivo, -a, aggressive, bold

agrícolo, -a, farming, agricultural

agricultor, farmer

agricultura, agriculture

agrupado, -a, united

agua, water; *pl.* rains, waters; —s próximas, threatening rains aguacero, shower

aguaje, *m.* water-hole

aguardar, to await

aguardiente, *m.* raw brandy

águila, eagle

agujero, hole, opening

ahí, there

ahogado, drowned man

ahogarse, to be drowned, be choked

ahora, now

ahumado, -a, burned out; without temper

airado, -a, angry, wrathy

aire, *m.* air; bearing, mien; hacerse —, to fan oneself

airosamente, jauntily

aislado, -a, isolated; neglected

aislamiento, isolation

ajeno, -a, alien, unknown, foreign, strange, unrelated; — a, not referring to, unaware of; unmoved by, indifferent to

ajustado, -a, closely set

ala, wing

alambre, *m.* wire

alarido, howl; whoop, yell; *pl.* barking, baying

alarma, *m.* alarm

alarmarse, to be alarmed

alborotado, -a, disturbed

alcalde, *m.* mayor, municipal president

alcance, *m.* reach; a su — within his reach

alcanzar, to suffice; overtake, catch, reach

alcohol, *m.* spirits

alegato, allegation, statement

alegre, happy, gay, merry

alegría, happiness, joy

alejarse, to draw away

alentar, to encourage

alerto, -a, vigilant

algarabía, chatter, hubbub

algazara, hurrah, shout on the part of the crowd

algo, something; — así como, something like; por —, for a good reason

algodón, *m.* cotton

alguno (algún), -a, some, any; *pron.* someone

alianza, alliance

aliar, to ally

aligerar, to lighten

alimento, food, diet; *pl.* victuals; —s del mediodía, lunch, noonday meal; —s propios, staple foods; primeros —s, breakfast

alinearse, to line up

alisar, to smooth

alistar, to prepare, make ready

aliviar, to alleviate

alivio, relief; mitigation

almacén, *m.* food store; storehouse, source

almacenado, -a, stored up, accumulated

almena, battlement

almuerzo, luncheon, midday meal

alojar, to lodge

altivamente, haughtily

altivez, pride

alto, -a, high, important; (en) lo más —, (at) the highest

Vocabulary

187

point, on the top; **lo —**, the heights; *n. m.* height

altura, elevation, height, high place; **en la —**, aloft

aludido, man referred to

aludir, to allude, refer to

alumbrado, public lighting

alumbrar, to give light

alumbre, *m.* alum

alumno, pupil

alusivo, -a: — a, representing

alzar, to raise, carry; **—se,** to arise, ascend; pull up; move upward

allá, there; **— adelante,** further ahead; **— va,** here is; **los de más —,** still others; **más — (de),** yonder, further on, further along, before, on the far side, beyond; later

allegado, faithful friend

amanecer, *m.* daybreak, dawn; **al —,** at dawn

amarillento, -a, yellowish, yellowed

amarillo, -a, yellow

ambición, ambition

ambiente, *m.* atmosphere; life

ambos, -as, both

ambular, to wander aimlessly

amedrentar, to frighten

amenaza, threat

amenazador, -ora, threatening

amenazar, to threaten; **— con,** to threaten to

* **ameritar,** to be worthy of, be deserving of

amigo, -a, friendly; *n. m.* friend

amistad, friendship

amo, master, employer

amóchitl, *m.* (*Ind.*) bullet

amodorrado, -a, drowsy

amonestar, to warn, admonish

amontonado, -a, in a heap, piled up

amontonamiento, loose pile, piling up

amoratado, -a, livid

ampliamente, amply, generously; deeply

análisis, *m.* analysis; **hacer un — de,** to analyze

anca, flank

anciano, -a, old; *n. m.* old man, elder; *pl.* venerable elders; *n. f.* old woman

ancho, -a, wide, broad

andado, -a: lo —, how far they had walked

andanza, wandering

andar, to go; walk; **— de viaje,** to be off on a trip; *n. m.* step, gait

angosto, -a, narrow

angustia, anxiety

anhelo, longing, desire

anidar, to nest

ánima, spirit, soul; temper

animado, -a, animated, excited, lively

animal, *m.* animal, creature; **— de trabajo,** work animal

animalucho, scrawny animal

animar, to encourage, enliven; **—se,** to become excited, lively

ánimo, mind, spirit

aniquilar, to annihilate

anochecer, to become dark; *n.*

m. nightfall, evening; **al —**, at dusk

ansiado, -a, desired, longed for

ante, before, in the presence of; in the face of; compared with; over

antebrazo, forearm

antecedentes, *n. pl.* position, background

antecesor, ancestor

antepasado, ancestor

anterior, previous, former, past

antes, before; previously, formerly, in the old days; **— de (que),** before; **— que,** before, rather than; **de —,** previous, former

anticipación: con — a, before

anticipar, to advance, hasten

antiguo, -a, old, ancient

antojarse, to seem

anudarse, to fasten about oneself, tie on

anunciar, to announce

anzuelo, fishhook, line

año, year; **entrado en —s,** *see* **entrado**

apapán, *m. (Ind.)* wild duck

aparecer, to appear

aparente, apparent, seeming

apartado, -a, separated, removed

apartar, to put aside, separate; **—se (de),** to move away, leave, stray (from)

apenas, hardly, scarcely, barely, just; hardly any, very few; *conj.* as soon as; **— si,** hardly, barely; only

aperar, * to load

apertura, opening, construction

apetecido, -a, desired, sought for

apetito, appetite

apiñado, -a, dense

apiñarse, to crowd together

apisonar, to pack down, tamp

aplacar, to appease

aplaudir, to applaud; * pat; *n. m.* * patting

aplazarse, to be put off, be postponed

aplicar, to apply, use; mete out

apogeo, height

aportación, contribution

aportar, to contribute

apostarse, to station oneself, wait

apoyar, to rest, support; **—se,** to support oneself

apoyo, support

apreciar, to discern; hear

aprestarse, to rally

apretado, -a, pressed together, dense, compact

apretar, to grip; quicken; fit, pound down

aprobar, to approve

aprovechar, to take advantage of; **—se,** to be taken advantage of

aprovisionamiento, storing up provisions

aproximarse, to approach

apto, -a, able, able-bodied

apuntado, -a, listed, noted down

apuntar, to aim

aquel, aquella, aquellos, aquellas, that; *pl.* those

aquél, aquélla, aquéllos, aquéllas, that one, the former; *pl.*

those, the former; **todo —
que,** everyone who; **aquello,**
neut. that

aquí, here; **por —,** hereabouts

araña, spider

arar, to plow (up)

árbol, *m.* tree

arboleda, clump of trees

arbolillo, little tree

arbusto, bush, shrub

arder, to burn

arena, sand

arenga, harangue

argucia, strategy, cunning, trap

argumentar, to argue

aristas, *f. pl.* edges

arma, weapon, gun; **— de fuego,**
firearm; **— de un tiro,** single-
barreled gun

armado, -a, armed, equipped; *n.
m.* armed man

arpa, harp

arpón, *m.* barb

arponado, -a, barbed

arqueología, archeological struc-
ture

arrancar, to draw out, take out;
extract; tear out, tear away
from; **como al —se,** . . . as
when . . . is extracted

arrastrar, to drag (on the
ground), draw; **—se,** to drag
oneself, crawl

arrear, to drive

arrebatar, to carry off; take away
from

arreglo, agreement

arremeter, to charge

arremetida, rush

arreo, drive

arrepentirse (de), to repent

arriba: río **—,** upstream

arriero, muleteer, teamster

arriesgar, to risk; **—se,** to venture

arrimarse, to come closer, join
the group

arrodillado, -a, kneeling

arrodillarse, to kneel

arrogante, proud

arrojar, to cast out, expel; throw,
throw down

arrojo, daring, impetuosity

arrollar, to run over

arroyo, rivulet, small stream

arte, *m.* art; *f. pl.* craft, profession

artefacto, handiwork; *pl.* wares

arteria, artery

artículo, article

asalto, assault; **dar el —, to**
charge

asamblea, assembly

ascensión, hill, ascent, climb

ascenso, ascent

asegurar, to state, affirm, declare,
reinforce

así, thus, so, like that, like; **—
como,** like, just, as, as well as;
— las cosas, *see* **cosa**

asiento, seat; place, town; **tomar
—,** to sit down

asignado, -a, prescribed

asistencia, attendance; **con — de
indígenas,** attended by Indians

asistir (a), to attend, be present
at

asociación, association

asomado, -a: — a, leaning out of, appearing at

asomar, to appear, become visible, thrust out, put out, show; —se (a), to appear, peep; draw near, approach

asombrado, -a, surprised, astonished; amazing

asombro, astonishment, amazement, awe

aspecto, look, appearance

áspero, -a, thorny

aspirar, to aspire

asunto, affair

atacante, m. assailant, attacker

atacar, to attack, overcome

atado, -a, tied, fastened

ataque, m. attack

atar, to tie, fasten; —se, to tie to oneself

atareado, -a, busy, taken up

atarraya, cast-net

atención, attention; affair; llamar la —, to attract attention

atender, to look after; obey, carry out, discharge

atentado, assault

atento, -a, alert, watching closely; adv. attentively

atisbar, to watch, watch for; peer

atisbo, look, peep; scrutiny

atizar, to keep burning, stir up; n. m. stoking, tending

atleta, m. athlete

atolondramiento, confusion

atormentar, to torment, torture

atraer, to attract

atrapar, to catch

atrás, behind, in the rear; hacia —, back

atrasado, -a, backward

atraso, backwardness

atravesar, to cross, go over; pierce

atreverse a, to dare to

atrio, atrium, see Notes, 18, 9

atropellar, to knock people over, shove; insult

atropello, outrage; —s a, outrages upon

audacia, boldness

audaz, bold

augurio, omen, portent; todo un —, a complete portent

aullido, howl

aumentar, to increase

aumento: vidrio de —, magnifying glass

aun (aún), even, still; — cuando, even if

aunque, although

aupar, to pick up (a child), take (a child) into one's arms

auscultación, examination

auscultar, to make an examination; listen; — en, to examine

ausencia, absence

autor, author (of spell or crime), evil-doer; — del trabajo topográfico, draftsman

autoridad, authority; authorities, officials; federal authorities; la misma —, the authorities themselves

autorización, authority

autorizar, to authorize

auxiliar, to help, aid; *n. m.* ally, aid

auxilio, aid

avalancha, avalanche; herd

avanzada, vanguard

avanzado, -a, advance

avanzar, to advance; spread

ave, *f.* bird; fowl

avecinarse, to approach

aventurarse, to take a chance, venture

averiguación, investigation

avisar, to tell, inform

aviso, warning; message

* ayate, *m.* agave cloth (*used as a net*)

ayuda, aid, help

ayudante, assistant

ayudar, to help, aid

ayuno, fast, fasting

azorado, -a, terrified

azotar, to beat, lash

azul, blue

B

bailar, to dance

bailarín, dancer

baile, *m.* dance; hacer —, to hold a dance

baja, casualty

bajar, to descend, go down, dismount; lower

bajo, -a, low; shallow, lowered; *adv.* underneath, beneath; *prep.* under, down, amidst, through

balance, *m.* weighing

balancearse, to roll

balanceo, pitching and rolling, oscillation; de — fatigado, wearily swinging; en un —, pitching and tossing

balazo, shot

balcón, *m.* balcony; window

bambolear, to stagger

banca, bench

banco, shoal, school (of fish); bench, stool

bando, band

banquete, feast, banquet

banquilla, bench

banquillo, stool

bañarse, to take a bath; wallow

baño, bath; —s de temaxcal, steam bath

baratija, trinket, knickknack

barba, beard; slender root

barranca, ravine, canyon

barranco, gorge, ravine

barrer, to sweep (out); — con, to sweep along, sweep away

barrera, canyon wall; barrier

barreta, bar, pickaxe

barrido, -a, swept

barril, barrel

barro, clay, earthenware; mud

base, *f.* base; a — de, by means of; por la —, from the base, at the bottom

bastar, to suffice, be enough

bastimento, food

basura, filth, rubbish

batida, drive; hunt

batir, to pound, beat

bautizar, to baptize

beber, to drink; dar de — y comer, to give food and drink

bejuco, reed, rattan; creeper (plant)

belfo, lip (of an animal)

bello, -a, beautiful, handsome

bendito, simpleton; —s de tan inocentes, simple to the point of stupidity, stupid simpletons

beneficio, behalf

benéfico, -a, curative, beneficent; n. pl. remedy, curative

benevolencia, protection

besado, -a, kissed, put to one's lips

bestia, beast

bien, well; quite, really; very; indeed, even; más —, rather; n. m. good; possession

bienvenida, welcome

bifurcarse, to branch off, fork

billar, m. billiards

blanco, -a, white; blank; en —, plain; lo —, the white interior; n. m. white man

blancura, whiteness

blando, -a, soft

blanquear, to glisten white; —se, to become white

blanquecino, -a, whitish

* bobo, catfish

boca, mouth; lips

bocado, mouthful

bolsillo, pocket

bordado, -a, embroidered; n. m. embroidery

borde, m. brim

bordón, m. wand, staff; crutch

borracho, -a, drunk, intoxicated; n. m. drunkard

boscaje, m. forest, woods

bosque, m. woods, forest

bota, boot

botella, bottle

bracear, to move one's arms or legs; swim

brasa, glowing embers, coals

brazo, arm; limb (of tree)

brecha, breach

breña, bramble, brush, bush; pl. brush

brillante, shining, sparkling

brillo, brightness, gleam, glow

brindis, m. toast

bronce, m. bronze

brotar, to well; gush, bubble

bruces: de —, forward, headlong

brujería, witchcraft, evil spell

brujo, wizard, sorcerer, witch doctor, medicine man; artes del —, witchcraft

brusco, -a, rude, rough

buen(o), -a, good

buey, m. ox

bulto, bundle; form, shape

burbuja, bubble

burdo, -a, rude

burro, donkey, burro

busca, search; a la —, in search; en su —, in search of him, after him

buscador, searcher; — de oro, gold seeker

buscar, to seek, look for, search for; —se, to look for; —se daños, to seek to harm one another; *n. m.* search

búsqueda, search

busto, bust, trunk

C

cabalgadura, beast of burden, horse, mount

caballería, cavalry

caballo, horse; a —, on horseback

cabecera, most important town, seat

cabecilla, *m.* leader, guerrilla chief

cabello, hair; —s de por sí untados, naturally oily hair

caber, to contain; cabían las plantas de sus pies, there was room enough for the soles of his feet; no cabía duda, there was no doubt

cabestro, halter

cabeza, head, hair; movimiento de —, *see* movimiento

cable, *m.* cable, rope

cabo, end; llevar a —, to carry out

cacería, hunting, hunt

cachi-cuerno, -a, horn-hafted, horn-handled

cachorro, whelp

cada, each, every; — quien, — uno, -a, each, each one

cadáver, *m.* corpse

cadena, chain, string

caer, to fall; — en la realidad, to realize fully the truth; al —

de la tarde, at nightfall, late in the afternoon; dejar —, to drop; ir a —, to drop

café, coffee-colored, brown

caída, fall

caído, -a, drooping, loose

caja, box, can

cajón, *m.* chest; shelter

calcular, to calculate

calentar, to warm

calidad: en — de, as

caliente, warm, hot

calma, calmness, composure, calm; en —, quiet

calor, *m.* heat

calvicie, *f.* baldness

calvo, -a, bald

calzar, to wear (on the feet)

calzón, *m.* trousers, pants

callar, to be silent; conceal

calle, *f.* street

callejón, *m.* alley, narrow street

cama, bed, cot

camándula, string, rosary

cámara: — fotográfica, camera, kodak

camarada, *m.* comrade

cambiar, to change; exchange

cambio, exchange, return, change; a — de, in exchange for, on condition that; en —, on the other hand

camilla, stretcher

caminado, traveled, walked; de lo —, of the distance covered

caminante, *m.* pedestrian, man walking

caminar, to walk, go, travel; advance, march; *n. m.* travel caminata, trip, excursion; hike; foray; march

caminejo, rough path

camino, road, trail; course, way; march; — real, highway; de —, of travel

camisa, shirt; blouse

campamento, armed camp

campana, bell

campanear, to bell, assume the shape of a bell, billow

campaña, campaign

campesino, -a, rural, country; n. m. peasant

campo, field; gentes de —, country people; mestizos del —, see mestizo

canasta, basket

candidato, candidate

candil, m. oil lamp

canícula, dog days

canoso, -a, gray

cansado, -a, tired, weary

cansancio, weariness, fatigue; hasta el —, to the point of weariness, until he was tired

cansar, to tire; sin —se, tirelessly, continuously

cantar, to sing, crow, coo; n. m. crowing

cantera, rock, slab of rock

cántico, canticle, chanting

cantidad, number

cantil, m. quarry, rock ledge, bluff, steep rock

canto, song, chant

caña, sugar cane; pole, stick; drink of sugar-cane brandy

cañada, glade, dell

cañaveral, m. cane field

cañón, m. quill; — de pluma, quill

capa, layer

capataz, m. overseer, foreman

capaz, capable

capilar, capillary

capitaneado, -a, led

caprichoso, -a, curious

capturar, to capture

cara, face; — a —, face to face

carabina, gun

carácter, m. character, mark, letter

característica, characteristic trait

caravana, caravan, procession

cárcel, f. prison, jail

cardinal, cardinal; puntos —es, points of the compass

carecer (de), to lack

carga, load, burden

cargado, -a, burdened; — de familia, burdened with a large family

cargar, to bear, carry; load (a gun); — con, to carry, pick up

cargo, position; hacerse —, to take charge

carne, f. meat, flesh

carrera, course; hacer una —, to follow a profession

carrete, m. spool

carretera, highway

carrizo, reed; fishing pole (of cane)

carruaje, m. carriage; auto

carta, letter; —s de color, colored envelopes

cartucho, cartridge; — de dinamita, dynamite cartridge

casa, house, hut; home; family; de — en —, from house to house

casarse (con), to marry, wed, get married (to)

cascada, waterfall, cascade

cáscara, bark

caserío, village, settlement

casero, -a, of the household; trabajos —s, housework; n. m. proprietor, host

casi, almost, nearly

caso, instance, case, situation; se dieron —s, there were instances

castigar, to punish, chastise

castigo, punishment

casucha, miserable hut, hut

cauce, m. bed (of a stream)

causa, object, cause; reason; a — de, because of, with; por — mía, on account of me

causar, to cause, do, produce; make, bring about; — muchos males, do much harm

cautela, caution

cautelosamente, cautiously, warily

cavado, -a, hollowed out; washed clear; dug up

cavar, to dig

caza, hunt

cazador, hunter

cazo, kettle

ceder, to give up, yield, give way

cedro, cedar tree, cedar

cegar, to blind

ceiba, ceiba, silk-cotton tree

celebrar, to hail; hold; enjoy

celo, zeal, ardor

celosamente, jealously

cempoalxóchitl, m. (Ind.) marigold

cena, supper

cenar, to eat supper

ceniza, ash

centavo, cent (hundredth part of a peso or about half a cent in U. S. currency at par), penny

centena, (group of a) hundred

centenar, m. hundred

centro, center; source; federal government; gobierno del —, federal government

ceñido, -a, worn, fastened

ceñidor, girdle, belt

cera, candle, wax

cerca, wall, fence; — de piedra, stone wall; dam; stone barricade

cerca, near, close; — de, near

cercado, yard, enclosure; hedge, fence

cercanía, vicinity

cercano, -a, adjoining, nearby; más —, nearest

cerco, siege

cerdo, pig, swine

cerdoso, -a, bristling

ceremonia, ceremony

ceremonial, m. rite

cerilla, match

cerillo, match

cerrado, -a, enclosed, hidden; dense; closed; sealed, concluded; in one piece; en lo más —, in the deepest part; descargas —as, *see* descarga

cerrar, to close, cut off (a road); block; — con violencia, to slam shut

cerro, hill; mountain side; *pl*. range

certero, -a, well-aimed

certeza, certitude, accuracy

cesta, basket

cielo, sky; *pl*. heavens

cieno, slime

ciento, one hundred; setenta por —, seventy percent

cierto, -a, certain, a certain; por —, certainly

ciervo, deer, buck, stag

cigarro, cigar

cilíndrico, -a, tubular

cimarrón, -ona, wild

cimiento, foundation

cinta, ribbon, tape

cintli, *m*. (*Ind*.) corn

cinto, belt, girdle

cintura, waist; belt

cinturón, *m*. belt

circularmente, in a circle, about

círculo, circle

circunstancia, circumstance

circunvecino, -a, neighboring

ciruelo, plum tree

cita, meeting

citar, to give an appointment

ciudad, city

civilización, civilization

clamar, to vociferate

claramente, clearly, plainly

claridad, clarity; noche de —, moonlit night

claro, -a, clear; a las claras, clearly; *n. m*. clearing

clase, *f*. kind, breed

clavado, -a, nailed; perched; set, stuck, fixed

clavar, to stick; —se, to lodge

clave, *f*. key, clue

claveteado, -a, pierced, punctured, pitted

cliente, *m*. client

clima, *m*. climate

cobija, shawl, blanket

cobijador, -ora, protective

cobrar, to collect (for); — sus trabajos, to reap the reward of their labors, get their pay; —se, to reap

cobre, *m*. copper

cobrizo, -a, coppery, copper-colored; *n. m*. Indian

cocido, -a, boiled

cocina, kitchen

cocinar, to cook

coco, coconut; taza de —, *see* taza

codicia, covetousness, greed

codicioso, -a, covetous; covetously

coger, to take, assemble

cogido, -a, caught, held

cohete, *m*. rocket

coincidencia, coincidence

colectivo, -a, joint

cólera, anger, wrath

colérico, -a, angry

colgar, to hang (up); —se, to sling about oneself; be hung

colmado, -a, heaped, piled high

colmena, beehive; swarm of bees

colmenar, *f.* apiary; hive

colmillo, tusk

colocar, to place, station; pack, lay; **—se a** to reach, hang at, station oneself

colonizar, to colonize, settle

columna, column; posse, force

columpiar, to swing, sway

columpio, swing; **hacer —s,** to swing, sway

collar, *m.* collar; necklace; **— de cuentas,** bead necklace

comal, *m.* large flat griddle (usually of clay, though more modern ones are of iron or tin)

comarca, region

comarcano, -a, neighboring

combatiente, warrior

combatir, to fight

comentar, to discuss, comment upon; state

comenzar, to begin

comer, to eat; **dar de beber y —,** *see* **beber**

comercial, trade, commercial

comerciante, *m.* merchant

comestible, eatable; *pl.* food

cometer, to commit

comicios, *m. pl.* primaries

comida, dinner

comilona, feasting, big feast

comisión, committee, commission

comisionado, delegate; *pl.* delegation

comité, *m.* committee

comitiva, delegation, party

como, as, like; likewise; as though; since, because; some-thing like; **— a,** at about; **— que,** since; **así —,** like, as well as

¿cómo? how

cómodamente, comfortably

compacto, -a, compact; thickly populated

compañera, mate

compañero, companion

compañía, company; **hacer — a,** to keep company with

compás, *m.* rhythm, beat

compasión, pity

competidor, competitor

complacencia, geniality; **nada de —s,** there should be no compliance

completamente, completely, entirely, quite, wholly

completo, -a, complete, thorough

complicidad, combination

componente, *m.* member

compostura, repair

comprador, buyer, purchaser, customer

comprar, to buy

comprender, to understand, realize, be aware; include

comprobar, to prove

comprometer, to hinder

comprometido, -a, betrothed, promised, engaged

compromiso, engagement, agreement; contract; **— matrimonial,** marriage contract

compuerta, sluice, opening

compuesto, -a, composed; formed

común, common, ordinary

comunicación, communication

con, with; upon; by; — ser, although

conceder, to give; grant

concentración, gathering

concepto, idea, sentiment

concierto, concert

concretarse, to limit oneself

concurrencia, attendance

concurrir, to attend

condenado, deuced fellow, son-of-a-gun

condición, condition, proviso, nature; en —es, able

conducir, to lead; carry; bury; carry (a corpse) to the burial ground; bring; drive

conducta, behavior, action

conducto, mediation

confeccionar, to make, prepare

confesar, to confess

confiadamente, confidently

confianza, confidence

confirmación, confirmation

confirmar, to confirm

conflicto, conflict, struggle; quarrel

conformación, build, physique; shape

conformarse, to be satisfied, resign oneself

confrontar, to compare

confundido, -a, mingled

confundir, to confuse; include; —se, to merge oneself

congregación, district; village, community; swarm

congregados, m. pl. assembled crowd

congreso, congress; — general, national congress

conjunto, -a, common, joint

cono, cone

conocedor, -ora, well acquainted, expert

conocer, to recognize; be apparent; know, be acquainted with, be familiar with; — de un caso, to take up a case

conocido, -a, (well) known

conocimiento, subject, branch of knowledge

consagración, consecration

consagrado, -a, consecrated

consciente, aware

consecuencia, consequence

conseguido, -a, secured, obtained

conseja, folk tale, fairy tale

consejo, council; advice

consentimiento, consent

conservar, to keep, preserve, maintain; recall; have

considerar, to believe, consider, regard, count

consiguiente: por —, consequently

consistente: — en, consisting of

consistir, to consist; — en, to be

constante, constant

constar, to be clear, be evident

constitucional, of the Constitution, constitutional

constituir, to act as, serve as; —se en, to become

construcción, building

construir, to construct, build; por —se, to be constructed

consuelo, consolation, comfort

consultar, to consult, look at, examine

consumir, to devour; —se, to be consumed

contacto, contact, touch

contagio, infection; disease

contar, to relate, tell; — con, to count upon, have (political influence or power); no — con, to lack

contemplar, to examine, look upon, view

contener, to ward off; —se, to stop

contenido, inscription, contents

contento, -a, satisfied; n. m. happiness

contestar, to answer

contienda, feud, struggle

contingente, m. detachment, contingent

continuar, to continue, resume

contra, against; for; n. f. counter poison

contradecir, to contradict

contraer, to arrange, enter into; contract, catch (disease); —se, to be drawn back, be withdrawn

contraorden, f. counter-order

contrariado, -a, vexed, angry

contrario, -a, opposing; opposite; de lo —, otherwise; lo —, just the opposite

contraste, m. contrast

contratarse, to bind oneself, hire oneself out

contravenir, to disregard, go counter to

contribución, tax; — personal, head tax, poll tax

contribuir, to contribute

contribuyente, m. and f. taxpayer

contrincante, m. rival

controlar, to control, direct, organize

convencer, to assure, convince; —se (de), to make sure, make certain, realize, see for oneself

convencimiento, persuasion

convenido, -a, agreed upon

conveniencia, advantage, desirability

convenir, to be suitable, be fitting; — en, to agree; —se en, to be agreed

convergir, to be focused, converge

convertir, to convert, transform; —se (en), to become

convicción, conviction; no con toda su —, half-heartedly, hesitantly

convincente, convincing

copa, glass, drink; crown (of hat)

* copal, m. aromatic resin

copia, copy

coral, m. coral; pl. crest (of a turkey)

corazón, m. heart

cordón, m. cordon; string

corneta, bugle

corporal, physical

correa, strap

corredizo, -a, running

corredor, m. porch

correo, courier, messenger, runner; mail, post office

correr, to run, travel, circulate; al — de, in the course of; a todo —, running at full speed

correría, escapade

corresponder, to be one's duty; — a, to maintain

correspondiente, corresponding

corriente, ordinary, current; *n. f.* current, stream

cortado, -a, chopped down; *n. f.* gash

cortar, to cut (short); cut down; cut off; cut through

corte, *m.* cast; cutting, harvest

corto, -a, short

cosa, thing; affair; así las —s, thus matters stood when; otra —, something else; resolver otra —, to decide otherwise

cosecha, harvest, crop; catch (of fish)

cosechar, to harvest, reap

cosquillas, *f. pl.* tickling; hacer —, to tickle

costa, cost

costado, side

costilla, rib

costumbre, custom

coyome, *m.* (*Ind.*) white man

coyote, *m.* coyote

cóyotl, *m.* (*Ind.*) white man

crear, to create

crecer, to grow, increase; rise (of a stream)

crecido, -a, old, large, grown; swollen (stream); de tan —, because it was so swollen

creciente, *f.* flood, freshet

creencia, belief

creer, to believe

crepúsculo, twilight, sunset

creyente, *m.* believer, worshiper

cría, fry (of fish)

criatura, child

criollo, creole (*a person of French or Spanish descent born in America*)

cromo, chromo-lithograph

cruz, *f.* cross

cruza, mixture of races

cruzar, to cross, cut through; breed; para —, in crossing

cua-ámatl, *m.* (*Ind.*) wood-paper

cuaderno, notebook

cuadrado, frame in the form of a square

cuadrilátero, square

cual, cuales, which; el, la —, los, las cuales, which; lo —, *neut.* which

¿cuál? which, what

cualidad, quality; *pl.* personal qualifications

cualquier (a), *pl.* cualesquiera, any

cuando, when; — menos, at least; — mucho, at most; aun —, even if; de vez en —, now and then, from time to time

cuanto, -a, whatever; all that; *pl.* all those who; — antes, as soon as possible; en —, as soon as; en — a, as for; unos —s, unas cuantas, a few, some

¿cuánto, -a? how much; *pl.* how many

cuartillo, measure (*2 quarts dry measure*)

cuarto, quarter

cuatitlácatl, *m.* (*Ind.*) hunter

cuatotótl, *m.* (*Ind.*) performer on the volador

cube, *see* cúe

cúbico, -a, cubic

cubierto, -a, covered

cubrir, to cover; pay; —se la cara, to hide one's face

cuchillo, knife

cuclillas: en —, squatting

cúe, *archeological mounds of pyramidal shape, which are sites of veneration and tradition*

cuello, neck; al —, about the neck; en el —, around his neck

cuenta, bead; dar —, to inform; darse — de, to pay attention to, be conscious of, realize

cuento, tale, story; — de vieja, old wives' tale

cuerda, rope; hecho una —, as smooth as a tight rope

cuerno, horn

cuerpo, body

cuervo, crow, raven

cuesta, hill; — abajo, downhill, downward; a —s, on his (*or* her) back

cuestión, question

cueva, cave

cuidado, care; con —, carefully

cuidadosamente, carefully

cuidar, to be careful, see to it; care for; —se, to beware

culebra, snake

culminar, to be at the zenith

culpa, fault

culpable, culprit, offender

culpar, to blame

cultivar, to cultivate, till

cultivo, cultivation

cumbre, peak, top, summit

cumplir, to complete, carry out, comply; — los doce años, to reach one's twelfth birthday

cuña, wedge

cuño, currency; stamp, design

cuota, quota, share, contribution

cura, *m.* priest; el señor —, the reverend father

curación, cure, remedy; treatment

curandero, medicine man

curar, to cure

curativo, -a, curative, medicinal

curiosidad, curiosity

curioso, -a, curious; lo más —, the most curious part

curso, direction, course, routine

curul, *f.* seat

curvilíneo, -a, circling, curving

cúspide, *f.* top

cuyo, -a, whose

CH

chaparral, chaparral, evergreen oak

chapoteante, splashing

chapotear, to splash

chaquira, mock-pearl *or* glass bead

charca, pool, puddle

charral, *m.,* minnow

chico, -a, small

chichón, *m.* bulge, mound (of water)

chile, *m.* chili, Mexican red pepper

chimal, *m.* (*Ind.*) shield

chinampero, -a, * *belonging to the cultivators of the small garden tracts in the lakes near Mexico City, which are called* chinampa

chiquihuite, *m.* (*Ind.*) basket

chirimía, *Aztec flutelike instrument,* flageolet

chorrera, rapids, strong current

chorro, stream, libation

choza, hut

chuzo, spear; — de pescar, fishing spear

D

dado, -a, given; considering; struck; held

danza, dance; ritual dance group

danzante, *m.* dancer

danzar, to dance

daño, harm, damage; buscarse —s, *see* buscar

dar, to give, contribute; hit; bear (fruit); show; — a, to reach; — con, to hit upon, find, encounter; — cuenta, *see* cuenta; — de comer, to feed, give food; — de mamar, to nurse; — el asalto, to charge; — en, to strike, hit; — fin con (*or* a), to make an end of; — fuego, *see* fuego; — muerte, *see* muerte; — paso, *see* paso; — por, to begin to; — saltos, *see* salto; — término a, to complete, finish; — tormento, *see* tormento; — tumbos, to tumble, hurtle; — una voltereta, to take a tumble; — un mal ejemplo, to set a bad example; — unos pasos, *see* paso; — voces, *see* voz; — vueltas, *see* vuelta; —se a, to devote oneself to; —se casos, *see* caso; —se cuenta, *see* cuenta; —se fricciones, *see* fricción; —se por vencido, to yield; —se un golpe, to slap oneself

de, of; from; at, to; about; concerning; on; with; by; in; as; than; — por sí, by nature; — que, that

debate, *m.: a —,* at issue

deber, to owe; ought; should; —se, to be due

debidamente, properly, carefully

debido, -a, owing

debilitado, -a, weakened

decepción, disappointment

decidido, -a, determined

decidirse, to decide

decímetro, decimeter (*about 4 inches*)

decir, to say, tell; proclaim; ask; mean; es —, that is; *n. m.* saying

declarar, to declare

declaratoria, statement

dedicar, to devote
dedo, finger
defender, to defend
defensa, defense
defensivo, -a, defensive
defensor, defender
definido, -a, clear
definitivo, -a, definite, concrete
deforme, misshapen, deformed
defraudado, -a, cheated, defrauded
defunción, death
dejar, to leave, abandon; let, allow; — **caer,** to drop; — **de,** to cease, stop; fail to; — **seco,** *see* **seco**
delante: hacia —, forward; **por — (de),** in front (of); onward, ahead
delantero, leader, man ahead
delgado, delegate
deliberación, deliberation
deliberar, to confer, deliberate
delicadamente, delicately
delicia, delight; — **del agua,** delightful water
demanda, request; **tener —,** to be in demand
demás (*with def. art.*), the other(s), the rest, remaining
demostrar, to make evident, show
denominación, name
denotar, to express, reveal
denso, -a, dense
dentadura, set of teeth
dentellada, bite; **—s de perros,** slashes of dogs' fangs

dentro, within; — **de,** inside
denuncia, complaint
denunciador, -ora: — **de,** betraying, revealing
denunciar, to betray, reveal; expose, report; complain
depositar, to place, empty
derecho, -a, right; *n. m.* right; **tener —,** to have a right; *n. f.* right (hand)
derivar: hacer —, to attribute
derramado, -a, shed
derramar, to spread; **—se,** to spread out, widen out
derredor: al — de, around, about; **en — a,** around
derribar, to overthrow, bring down
derrotado, -a, vanquished, defeated
derrumbarse, to throw oneself headlong; settle down; fall (full length)
derrumbe, *m.* slide
desagravio, atonement; — **de las ofrendas,** gifts of atonement
desahogo, unburdening, revealing remark
desanalfabetizar, to deprive of illiteracy, educate
desaparecer, to disappear
desarrollar, to execute, take part in; exert, develop; **—se,** to take place, develop
desarrollo, development
desatar, to untie
desayunar, to breakfast
desayuno, breakfast

descalzo, -a, shoeless, barefoot;
pies —s, bare feet

descansar, to rest

descanso, rest

descarga, shot; como —s cerradas, in volleys

descargar, unload

descastado, -a, deteriorated, unpedigreed

descender, to descend

descendiente, m. descendant

descenso, descent

desconfiado, -a, wary, warily, suspiciously

desconfianza, lack of confidence, distrust, mistrust

desconocido, -a, unknown, strange; n. m. stranger

describir, to describe; — trayectorias diagonales, to zigzag

descripción, description

descubierto, -a, uncovered, discovered, bared

descubrimiento, discovery

descubrir, to discover, see

desde, from, since; — luego, see luego; — por, during, in

desdeñosamente, disdainfully

desdoblarse, to unfold

desear, to desire, wish, want

desempeñar, to carry out, execute

desempeño, execution, carrying out

desenrollarse, to unwind

desenvainar, to unsheath, draw (a machete)

deseo, desire

deseoso, -a, desirous, anxious

desesperado, -a, desperate, despairing

desfilar, to file out, go in single file

desfile, m. march, parade

desgarrado, -a, ragged

desgarramiento, tearing

desgracia, misfortune, accident; en —, unfortunate

desgraciadamente, unfortunately

desgranar, to shell (corn)

designación, appointment

designar, to designate, name, appoint, call

desigual, uneven

desigualdad, inequality

deslumbramiento, bedazzlement

desmelenado, -a, disheveled

desmentir, to give the lie, contradict

desnudo, -a, naked, nude, bare

desobedecer, to disobey

desolado, -a, desolate

despechado, -a, indignant, resentful

despedazar, to break up

despedir, to see a person off on a journey; —se, to take leave

despejado, -a, cleared

despellejar, to skin

despertar, to awaken, arouse; —se, to awaken

despojar, to pillage, despoil; —se de, to take off

despreciable, worthless

desprender, to dislodge; —se, to fall down, split off

desproporción, lack of proportion, disparity

después, then, afterwards; later; — de (que), after

destapar, to uncork

desterrar, to dig up, disinter

destinado, -a, destined; sent; set aside

destino, direction

destituir, to remove, depose

destrozado, -a, destroyed

destrucción, destruction

destruir, to destroy

desventura, misfortune; a la —, to his misfortune

desviar, to turn aside; —se, to be deflected

desvirtuado, -a, diminished, deadened, devitalized

detallado, -a, detailed

detener, to stop; —se, to stop, pause

detenido, -a, minute, detailed; careful

detonación, explosion; *pl.* firing

deuda, debt

deudo, relative; *pl.* family

deudor, debtor

devolver, to return, turn back

devorar, to devour

día, day; — a —, day after day; al medio —, at noon; al otro —, on the following day; en otros —s, later on

diagonalmente, diagonally

dialecto, dialect

diario, -a, daily; a —, daily

dicho, -a, spoken; *n. m.* statement; lo —, what had been said; mejor —, or rather

diente, *m.* tooth

diferencia, difference

difícil, difficult; resentful; no sería nada —, it might well be

dificultad, difficulty

difundir, to spread (news)

difunto, dead man; día de —s, All Souls' Day, Day of the Dead (November 2)

digno, -a, worthy

dilatado, -a, extensive

dimanar, to spring, be due (to)

dinamita, dynamite

dinero, money

dios, *m.* god

diputado, deputy, representative; el señor —, his honor the deputy

dirección, direction; en — a, toward; ganar la —, *see* ganar

directamente, directly, straight

dirigente, employer; leader, director

dirigido, -a, aimed; made, directed; addressed, sent

dirigir, to direct; — la vista, to look; — los ojos, to look; —se, to turn, go; address

dirimir, to lay, present

discípulo, pupil

discurso, speech

discutir, to discuss, argue

diseminar, to scatter

disentería, dysentery

disertación, discourse

disfrutar: — de, to enjoy, receive

disgustar, to displease

disgusto, anger, ill-will

disminuir, to diminish, decrease; — la velocidad, to slow down

disparar, to fire (a weapon), discharge (a gun)

disparo, shot, discharge; hacer . . . —s, to fire . . . shots

dispersarse, to separate, disperse

disperso, -a, scattered

disponer, to direct, command; prepare, arrange; —se, to prepare, make ready

disposición, direction, command; order, arrangement; rearrangement

dispositivo, preparation

dispuesto, -a, disposed; ready

disputa, dispute

disputarse, to fight each other for

distancia, distance; a —, at a distance, from a distance; a corta —, a short distance away

distanciado, -a, estranged

distante, in the distance, distant; los más —s, those farthest away

distinguir, to distinguish

distinto, -a, separate, different

distraer, to distract, take away

distribuirse, to be distributed

distrito, district; district government

diversión, game; amusement

diverso, -a, various, diversified, different

dividir, to divide

divinidad, deity, saint

divino, -a, divine

doblado, -a, bent, bowed

doblarse, to bend

doble, double; hoja —, twin leaf

documento, document, evidence

dolencia, pain, grief; illness, affliction

doler, to pain, grieve; —se de, to be moved at

dolido, -a, suffering, pained; ailing, diseased

doliente, sorrowful

dolor, pain, sorrow

doloroso, -a, grievous, painful

doméstico, -a, domestic; n. m. servant

dominación, period of conquest by the whites

dominar, to dominate; overcome

domingo, Sunday; día —, Sunday

dominio, domain

don, m. blessing

donde, where; por —, along which, where

¿dónde? where? ¿para —? where?

dorado, -a, of gold, gilded

dorar, to gild

dormido, -a, asleep, drowsy

dormir, to sleep

dotar, to endow, furnish

dotes, f. pl., talents, powers

droguero, * debtor, "dead beat"

duda, doubt

dudoso, -a, doubtful

dueño, owner, master

dulcificarse, to soften, sweeten

duración, duration

durante, during, for

durar, to outlast, last

E

e, and

ebrio, intoxicated man, tipsy man

eco, echo

económico, -a, economic; **en lo —,** in the economic realm

echado, -a, worn out, exhausted; thrown

echar, to cast, throw; set, start; pour; catch; lay; **— a,** to slip (a noose) over; **— en cara,** to reproach for; **— por la pendiente,** *see* pendiente; **— por tierra,** to fell, cut down; **— un ojo,** to cast a glance; **—se,** to bring upon oneself; **—se a,** to set out, begin; **—se sobre,** to occupy

edad, age

edificio, building; **— de la presidencia municipal,** town hall

educar, to educate

educativo, -a, educational

efectivo, -a, effective; true, genuine

efecto, effect

efectuarse, to take place, be held

eficacia, effectiveness, worth, efficiency

eficaz, effective

efigie, likeness

ejecutado, -a, executed, carried out

ejecutar, to execute; do, make (a gesture); go through (a motion *or* ritual); **— un movi-** miento circular, to swing around, dangle about

ejemplar, *m.* specimen

ejemplo, example; **poner el —,** to quote examples

ejercitar, to exercise

ejército, army

ejidal, agrarian

ele, *f. the letter* l

elección, election

elemento, element; follower

elogiar, to praise

eludir, to avoid

ello, *neut.* that; **por —,** for that reason

embargo: sin —, nevertheless

emborracharse, to become intoxicated, get drunk

emboscada, ambush

embriaguez, drunkenness

embrujar, to cast a spell upon, bewitch

emergir, to emerge

emigración, migration

emisario, messenger, delegate, runner

emitir, to express; let out, give

empalizada, palisade, pale-fence

empequeñecido, -a, shriveled

empinarse, to drink

empleado, employee; **— de correo,** postal employee

emplear, to use

empleo, position

emprender, to undertake, begin

empujar, to push

empuñadura, butt, handle

empuñar, to grip

en, in; on; at; from; upon; within; among; through; with; to; around, about; against; like; — que, on the fact that

encabezar, to head, lead

encajonar, to wrap up, pack in a box

encarcelar, to imprison, jail

encargado, -a, charged; la encargada de, the one entrusted with

encargarse de, to take charge of

encariñarse con, to become attached to

encarnizado, -a, fierce, pitiless

encarrujado, -a, corrugated, fluted; undulating

encarrujamiento, fluting

encender, to kindle, light, strike (a match)

encerrado, -a, shut in

encima, on top; por — de, over

encogido, -a, shriveled, drawn up, deformed

encomendar, commend; assign

enconado, -a, fearful, galling

encontrar, to find, encounter, meet (with); a su —, toward him; —se, to be; —se con, to learn, come upon

encorvado, -a, doubled, bent over

encuentro, meeting

enderezar, to straighten

enemigo, enemy

enemistad, enmity

enérgico, -a, hearty; strict; severe

enfermedad, disease

enfermo, -a, ill, sick, ailing; n.

m. and f. patient, sufferer, sick person

enfundar, to put into a holster

enfurecerse, to become infuriated

engañar, to deceive

enhiesto, -a, stiff

enjuto, -a, lean, bony, thin; que por —s, so lean that

enlazar, to link, connect

enmohecido, -a, covered with a patina, weathered

ennegrecido, -a, blackened, begrimed

enojo, anger

enojoso, -a, offensive, troublesome

enorme, enormous

enredarse, to coil about

enrojecer, to redden, make red

enrolado, -a, enrolled, placed

enrollado, -a, rolled up, turned back; wound

ensangrentado, -a, smeared with blood, bloodstained

ensañarse, to vent one's rage

ensayo, trial, attempt, approach; rehearsal, practice

enseñanza, instruction

enseñar, to teach; show; —se, to show each other

enseres, m. pl. utensils, paraphernalia, effects; fishing gear

ensillar, to saddle

ensordecedor, -ora, deafening

entablar, to establish, begin; — plática, to confer

entender, to understand

entendimiento, agreement

entenebrecido, -a, darkened

enterado, -a, informed, knowing

enterar, to inform; —**se,** to learn

entierro, burial, funeral

entonces, then; **hasta** —, then only; **para** —, by then; by that time; **por** —, then, about then

entorpecer, to obstruct, hinder

entrada, entrance

entrado, -a: — **en años,** well along in years; **entrada la noche,** when night had fallen

entrar (a), to enter; come

entraña, entrail, intestine; *pl.* inner surfaces

entre, between; among; through; amidst; in; — **curioso y timorato,** half curiously, half timidly; — **sí,** among themselves; **por** —, through, among

entregado, -a, delivered; — **a,** engaged in, busied with

entregar, to give up, deliver, hand

entrepierna, crotch

entretenido, -a, absorbed

entusiasmado, -a, enthusiastic

entusiasmo, enthusiasm, warmth

entusiasta, *m. and f.* enthusiast; *adj.* enthusiastic; **de manera** —, *see* **manera**

enumerar, to enumerate

envenenar, to poison

enviado, -a, hurled, sent; *n. m.* messenger

enviar, to send

envío, dispatch, broadside

envolver, to pack; envelop, cover

envuelto, -a, wrapped, rolled; enveloped

epidemia, epidemic, plague

época, period, time, season

equidistante, equidistant, central

equilibrio, balance

equitativo, -a, equally distributed

equivalente, equivalent

erario, exchequer, budget

erizado, -a, bristling

errante, wandering, nomad

erre, *the letter* double r, rr

esbelto, -a, slender; supple

escabroso, -a, rough

escala, scale, extent; ladder

escalar, to scale

escalera, ladder

escalonamiento, series, pyramiding

escalonarse, to take one's place in regular formation

escamado, -a, scaly

escandalizar, to become disorderly

escándalo, clamor, commotion

escandaloso, -a, disorderly, noisy

escapar, to escape; —**se,** to escape, run away

escarbar, to dig

escaso, -a, scant, sparse; slight; few

escena, scene

escoger, to choose, select

escolar, school

escoleta, chorus; **hacer** —, to chorus, croak

esconder, to hide

escondite, *m.* hiding place

escopeta, shotgun
escribiente, *m.* clerk, notary public
escribir, to write
escrito, -a, written
escuadra, squadron; school (of fish)
escuchar, to listen to, hear
escudriñar, to scrutinize
escuela, school
esculpido, -a, sculptured
escurrir, to trickle
ese, esa, esos, esas, that, those
ése, ésa, ésos, ésas, *pron.* that one, those; eso, *neut.* that; por —, hence, that is why, therefore
esencial, essential
esfinge, *f.* sphinx
esfuerzo, effort, labor; por más —s, in spite of all the efforts
esgrimir, to brandish, flourish; wield
esmeralda, emerald
espalda, back; a la(s) —(s), on his back; on the surface; de —s, with her back turned; por la —, behind his back
espantajo, fright
espantar, to frighten
espanto, consternation; horror
espantoso, -a, horrible
español, -a, Spanish
esparcido, -a, sprinkled
especial, special
especie, kind
espectacular, spectacular, exciting
espectador, spectator, onlooker

espera, hope; wait; en la —, while waiting
esperanza, hope
esperar, to expect; wait for, await; wait; hacerse —, to be delayed, be long in coming
espeso, -a, dense
espesura, thicket; en plena —, in the densest part of the forest
espiar, to spy, peek out
espina, thorn
espinoso, -a, spiny, bony
espíritu, spirit, soul, mind
espléndidamente, in a grand manner, generously
esplendor, splendor
esposa, wife
esposo, husband
espumeante, foaming
establecimiento, institution, building
estaca, stake
estado, state
estallido, report (of a shot); blast; bursting
estambre, *m.* woolen yarn
estampa, print; figure
estampía, stampede
estampida, stampede
estar, to be; — por, *see* Notes, 3, 34
estatua, statue, sculpture
estatura, stature, height
este, esta, estos, estas, this, these
éste, ésta, éstos, éstas, *pron.* this, this one, the latter; these; esto, *neut.* this, that

estimular, to incite, call

estímulo, stimulus

estirar, to extend, stretch out

estorbo, obstacle, hindrance

estrangulación, strangulation

estrecho, -a, narrow

estrella, star

estrenar, to try out, use for the first time

estrépito, crash, commotion

estribación, spur of the mountain

estruendo, blaring

estudiar, to study; investigate

estudio, study

estúpido, -a, stupid

etcétera, and so forth

etl, *m. (Ind.)* kidney bean

evacuación, departure

evento, event; exercise

evolucionar, to wheel

exaltado, -a, excited; *n. m.* excited member

examen, *m.* examination

examinar, to examine, scrutinize

exasperar, to exasperate

excepción, exception; — hecha, with exception; con —, except

excesivo, -a, excessive

excitación, excitement

excursión, expedition

excursionar, to prowl, take an excursion

excusa, excuse

excusarse, to excuse oneself

exhibir, to display, show

exigencia, demand

exigir, to demand, exact

existir, to exist

éxito, success, achievement

éxodo, exodus

expedición, expedition, party

expedicionario, member of a party *or* expedition

expender, to sell, deal in

experiencia, experience

experto, -a, skilled, trained

explicación, explanation, direction

explicar, to explain

exploración, exploration

explorador, explorer

explorar, to explore; scan

explosión, explosion

explotación, exploitation

explotador, -ora, exploiting

explotar, to exploit

exponer, to expose, display; expound, explain

exposición, version

expresar, to express, declare

extender, to hold out, extend; spread out, thrust out; smooth out, flatten out

extensión, stretch, area

exterminar, to exterminate

exterminio, annihilation, extermination

extinguir, to extinguish, put out; —se, to go out

extraer, to take out

extranjero, stranger

extrañar, to surprise; * miss; —se, to be surprised

extraño, -a, strange

extremo, end

F

faceta, facet, plane

fácil, easy; likely

facilidad, facility, aid; *pl.* accommodations

factible, feasible

factor, factor, element

fachada, façade, front

faena, task, job; shift

faja, strip

falda, skirt

falta, lack, absence; a — de, in the absence of, for want of; hacer —, to be necessary

faltar, to be lacking, be wanting; — por, to remain, be left; de lo que les falta aún, of how far they still had to go

fallar, to decide, judge

fallo, decision, judgment; decree

fama, reputation

familia, family; en una misma —, like one family

familiar, common, familiar; family; *n.* member of the family; sus demás —es, the other members of his family

famoso, -a, with a reputation

fantasía, imagination

fantasma, *m.* phantom, ghost

fastidiado, -a, bored, wearied

fastidiarse, to be bored

fatalidad, fate

fatalista, *m.* fatalist, skeptic

fatiga, fatigue

fatigado, -a, fatigued, weary

fatigar, to tire, fatigue

febricitante, *m. and f.* person with fever

feliz, happy, fortunate

fenómeno, phenomenon, sign

ferino, -a, wild; tos ferina, *see* tos

festejo, festivity, entertainment

festividad, festivity, celebration

fibra, cord, tendon

fiebre, *f.* fever

fiel, faithful, appropriate; *n. m.* faithful parishioner

fiera, wild beast

fierro, iron, steel

fiesta, celebration; día de —, holiday; estar de —, to be celebrating a holiday

figura, figure, shape; — de gente, human shape, human form

figurar, to figure, be conspicuous

fijamente, fixedly

fijar, to fix

fijeza, steadiness

fijo, -a, fixed

filo, edge

filoso, -a, sharp

fin, end; a — de, in order to; al —, finally; dar — a, to conclude, stop; use up; dar — con, to make an end of; por —, at last, finally

final, *m.* end

finalidad, success, purpose

fino, -a, fine

firmado, -a, signed

físico, -a, physical

fisionómico, physical

flaco, -a, thin

flanco, side, slope; boulder

flanquear, to flank

flaquear, to give way

flaqueza, weakness

fleco, fringe (of foam), ripple

flor, *f.* flower; a — de, at the surface of the, level with the

flúido, -a, fluid

fofo, -a, spongy, light

fogón, *m.* hearth, fireplace; fire

fogosamente, impetuously

follaje, *m.* foliage

fondo, rear; bottom; back, end, depth; de uno en —, in single file

forastero, stranger

forma, form; shape; manner; en — de, like; en — tal, in such a manner; en esa —, of that nature

formación, formation; de reciente —, recently formed

formado, -a, formed, made up, assembled

formalidad, formality

formar, to form; — parte, to take part, participate; —se, to take shape, be formed; accumulate

formular, to state

fortuna, fortune; por —, fortunately

forzado, -a, forced

fotográfico, -a, for photography

fracasar, to fail

fracaso, failure

fraguar, to forge, concoct

franco, -a, frank

franqueza, frankness

fraternalmente, like brothers

frecuencia: con más —, more frequently

frecuentado, -a, frequented, used

frecuente, frequent

frente, *f.* forehead, brow; — a, in front of, confronting; de —, head-on; hacer — a, to undertake

fresco, -a, fresh, cool; *n. m.* fresh air; *n. f.* freshness

frescura, freshness

fricción, rubbing; darse —es, to rub oneself

frijol, *m.* kidney bean

frío, -a, cold

frondoso, -a, leafy

frontero, -a, adjacent, nearby

frotar, to rub

fruta, fruit

fruto, produce, crop; fruit

fuego, fire, blaze; scorching; arma de —, firearm; dar —, to strike fire, go off; hacer —, to fire (a gun)

fuera, outside

fuerte, strong, powerful; brawny; loud; great; intense

fuertemente, firmly; violently; heavily

fuerza, strength; possession, force; a — de, by dint of, by means of; por la —, by force, by storm

fuga, flight, wandering

fugitivo, -a, fugitive; *n. m.* fugitive

fulminante, *m.* (concussion) cap

fumar, to smoke

funcionamiento, operation, condition

funcionario, official

fundación, establishment, founding

fundar, to establish; base; found; —se, to base one's argument

fundir, to cast

funesto, -a, sinister, fatal

furia, fury

furioso, -a, furious, angry

fusil, m. gun

futuro, future

G

gabela, impost

galera, shelter, shed

gallardamente, jauntily

gallina, hen, chicken; — de monte, grouse

gallo, rooster, cock

gana: de buena —, willingly, gladly; de mala —, unwillingly

ganar, to gain, reach; earn; — la dirección, to head for

gancho, hook

gangoso, -a, hoarse

garantizar, to guarantee

garita, shelter; meeting place

garnil, m. pouch

garrocha, dibble, pointed planting stick; tener unas dos —s de alto, to be fairly high in the heavens

garza, crane

gasto, expense

gatillo, trigger

gato, cat

gatuno, -a, catlike

gavilán, m. hawk

general, national, general

generoso, -a, generous

gente, f. people; — de a pie, pedestrians; — de razón, white people; —s de campo, country people; figura de —, see figura

gestionar, to apply for; obtain

gesto, expression, gesture; air

gigante, giant

gimnasta, m. gymnast, athlete

girar, to whirl about

giro, whirling, turn

gobernador, governor; el señor —, his honor the governor

gobierno, government; — del centro, federal government

golpe, m. blow, stroke, thrust, thump; a — de, striking out with, by means of

gordo, -a, fat

gota, drop

goteras, f. pl. eaves

gozar: — de, to enjoy

gracias, f. pl. thanks

grado, degree

gramillal, m. grass pasture

gramillero, -a, grain or grass producing

grande (gran), large; grand; great, wide

granero, granary

granito, granite

grano, grain; pinch; kernel,

seed; **piedra de —**, sandstone

grato, -a, pleasing, easy, welcome

gratuito, -a, gratuitous

grave, serious

grillo, cricket

gris, gray

gritar, to cry out, scream, shout, yell; caw

gritería, outcry, shouting, clamor

grito, cry, shout, yell, call; scream; bark (of a dog); **dar órdenes a —s,** to shout orders

grotesco, -a, grotesque

grueso, -a, thick; heavy; *n. m.* bulk

gruñir, to grunt

grupo, group, throng, crowd, delegation

* **guaje,** *m.* (water) gourd

* **guajolote,** *m.* turkey; **— de grandes "corales,"** big-crested turkey

guardar, to guard, keep, preserve, maintain; protect, harbor

guardia, guard; **— blanca,** White Guard (*private troops and police employed by owners of property*); **poner en — sobre,** to warn

guardián, *m.* lookout

guayaba, guava

guerra, war; **hacerse la —,** to wage war

guerrero, warrior

guía, *m.* guide

guiar, to drive, guide

guisa: a — de, like; to serve as

gustar, to please; **—le a uno,** to like; **— de,** to like

gusto, taste

H

haber, *aux.* to have; *impers.* **hay** and *3rd pers. sing. of all tenses,* there is, there are, etc.; **había que,** one had to; **habrá que,** it will be necessary to, one will have to; **hay que,** one must

habilidad, skill; agility

hábilmente, carefully, dextrously

habitante, *m.* inhabitant

habitar, to dwell, live (in)

hablar, to speak, talk; tell; chatter

hacendado, planter, landed proprietor, hacienda owner

hacendoso, -a, industrious, diligent

hacer, to make, do; order; cause to; hold; give; **— a,** have to do with; **— baile,** *see* baile; **— compañía,** *see* compañía; **— el relato,** *see* relato; **— escoleta,** *see* escoleta; **— falta,** to be necessary; **— frente a,** *see* frente; **— fuego,** *see* fuego; **— intento de,** *see* intento; **— la pregunta,** *see* pregunta; **— presente,** *see* presente; **— rodar,** *see* rodar; **— saber,** *see* saber; **— tronar,** *see* tronar; **— un disparo,** to fire a shot; **—**

una carrera, *see* carrera; — veces de, *see* vez; — ver, *see* ver; —se, to become; become accustomed; result; fall (of silence); be held (of a fiesta); —se aire, *see* aire; —se cargo, *see* cargo; —se esperar, *see* esperar; —se la guerra, *see* guerra; hace (muchos años), (many years) ago; hacía (mucho tiempo), (a long time) before; hacía muchos años, during many years; desde hacía algunas semanas, for some weeks; no hacía más que ladrar, *see* ladrar

hacia, toward; for; into; — abajo, downhill, downward; — adelante, forward

hacienda, estate, hacienda

hacha, ax

hachón, *m.* torch

hallar, to find, hit, strike against; —se, to be; be busy; find; serve

hallazgo, find, discovery

hambre, *f.* hunger; famine; días de —, hard times, bad times

hambriento, -a, hungry

harto, -a, satiated, glutted; — de, tired of, sick of

hasta, as far as, to; even; until; as much as; *adv.* only; — que, until

hazaña, exploit; compañero de —, ally

hechicero, wizard, medicine man

hecho, -a, *p. p. of* hacer, accustomed; made; made up; be-

come; shown; — en, sealed with; — una cuerda, *see* cuerda; *n. m.* deed, act; fact; de —, in fact; el — de que, the fact that; otro — de sangre, any more bloodshed

hendido, -a, cleft

herbívoro, -a, herbivorous; por —s, owing to a vegetarian diet

herencia, legacy

herido, -a, wounded; punctured; *n. m.* wounded man; *n. f.* wound

herir, to wound

hermano, brother

hermoso, -a, handsome

héroe, *m.* hero; — de la patria, national hero

herramienta, implement

hervir, to boil

hierático, -a, sacerdotal; statuesque

hierba, grass, herb; weed; — mala, poisonous herb

hija, daughter

hijo, son; child; *pl.* children, young

hilar, to spin

hilera, line

hilo, cord, line

hincar: — el diente, to bite

historia, history

hocico, snout, muzzle

hogar, home

hoja, leaf

hojarasca, foliage, dense leaves

holganza, laziness, idleness

holgazán, *m.* loafer, idler

hombre, man; husband

hombro, shoulder; **al —,** over his shoulder

hombruno, -a, mannish, virile

homenaje, *m.* homage

homicidio, crime, murder

honda, sling

hondo, -a, deep

hondonada, dale, hollow

honorario, fee

hora, hour, time of day, time

horcón, *m.* forked pole

horizonte, *m.* horizon

hormiga, ant

hormiguero, ant hill

horno, oven; (sugar) boiler

horriblemente, horribly

hospedaje, *m.* lodging

hospitalariamente, hospitably

hostilidad, hostility

hoy, today

hoyanco, ravine; hollow, small pit, hole

huarache, *m.* (*Ind.*) leather sandal

huehue, *m.* (*Ind.*) elder

huella, track; hoofprint; sign, air

huérfano, -a, devoid, clear, bereft; *n. m.* orphan

huerta, * orchard

huesoso, -a, bony, protruding

huésped, *m.* guest

huevo, egg; **— de gallina,** hen's egg

hueyeatl, *m.* (*Ind.*) sea

huída, flight

huíngaro, *m.* (*Ind.*) cane cutlass, cane knife

huipil, *m.* (*Ind.*) native tunic blouse; *see* Notes, 13, 3

huir, to flee, escape; **del que huye,** of the fugitive, of a person in flight

humanidad, humanity

humano, -a, human

humareda, cloud of smoke

humedecer, to wet, moisten

húmedo, -a, damp

humildad, humility

humilde, humble

humillado, -a, bowed, bent; downcast

humillar, to humiliate

humo, smoke

hundir, to sink, plunge; **—se, to** go under

hurgar, to poke about

I

ida, going

ideal, *m.* ideal, aim

identificación, identification

identificado, -a, identified

idioma, *m.* language

ídolo, idol

iglesia, church

ignorancia, ignorance

ignorar, to be ignorant of, not to know of

igual, identical, equal; **al — que,** the same as

igualar, to equal, match

igualmente, similarly, equally

ijar, *m.* flank

ilustrar, to enlighten

imagen, *f.* image

imberbe, beardless as a youth

impaciente, hurried, impatient

impasible, impassive, unmoved, unheeding

impedir, to hinder, impede, prevent

imperativamente, imperiously

imperativo, -a, imperative; peremptorily

ímpetu, m. impulse, desire; force; — de fuga, rush

impetuoso, -a, impetuous; swift, turbulent

impiedad, impiety

implemento, implement, tool

implicar, to imply

implorar, to implore

imponente, impressive

imponer, to impose; make effective; levy; —se, to infuse fear; prevail

importante, important; lo —, what is important, the main thing

importar, to matter

imposibilidad, impossibility

imposibilitado, -a, unfit, disabled; — para, prevented from, unable

imposible, impossible

impresión, impression

improvisado, -a, improvised, would-be

impulso, impulse, impetus

impunemente, with impunity, unmolested

impunidad, immunity (from punishment)

inagotable, inexhaustible

inalterable, impassive, unmoved

incansable, tirelessly

incendio, conflagration, blaze, fire; — del monte, forest fire

incertidumbre, uncertainty

incidente, m. incident

incierto, -a, uncertain, obscure

inclinación, nod; natural bent

inclinado, -a, bowed

inclinarse, to bend down, bow

incluir, to include

incompleto, -a: cruz incompleta, part of a cross

inconfundible, unmistakable

incontable, countless, innumerable

incorporación, assimilation

incorporar (a), to incorporate (in)

incredulidad, incredulity, unbelief

increíble, incredible

increpar, to reprimand, rebuke

incuria, neglect, shiftlessness

incurrir (en), to bring upon oneself

indeciso, -a, hesitant; dazed

indicación, request, sign; hint, observation; por —, at the advice

indicado, agent designated

indicar, to indicate, point out; signal; hint

indicio, indication, sign

indiferencia, indifference

indiferente, indifferent

indígena, m. native, Indian

indignación, indignation

indio, Indian

indispensable, necessary

individuo, person, individual

inducir, to persuade, prevail upon

ineficaz, vain

inesperadamente, unexpectedly

inexpresivo, -a, uncommunicative

inferior, inferior, lower

ínfimo, -a, very poor, inferior

influencia, spell; *pl.* (political) influence

influir, to influence, exert an influence

influyente, influential; *n. m.* influential person; person of wealth

informarse, to find out

informe, misshapen; *n. pl.* information, news

infractor, transgressor

infundir, to instill, infuse, arouse

ingeniero, engineer

ingenuo, -a, simple, ingenuous; *n. m.* simpleton

ingrato, -a, hard

ingreso, income

iniciación, beginning

iniciar, to begin, launch; **—se,** to begin

inmediatamente, immediately, at once

inmediato, -a, immediate

inmensidad, vastness, expanse

inmenso, -a, great, immense

inmóvil, motionless, still

inmovilidad, fixedness, fixity

inmundicia, droppings

inmune, unpunished

inmutarse, to change countenance

innecesario, -a, unnecessary; **lo —,** the uselessness

inocente, guileless

inquirir, to inquire; look into, investigate

insecto, insect

inseguro, -a, insecure

insepulto, -a, unburied

insignificante, insignificant

insistente, insistently

insistir, to insist, persist

insolvencia, insolvency, bankruptcy

inspección, search

inspector, inspector; **— escolar,** school inspector

inspirador, -ora, *n. m. and f.* inspirer

inspirar, to inspire, arouse

instalar, to station, place; tether; convene; install; put down; set up

instancia, petition; **juez de primera —,** *see* juez; **juzgado de primera —,** *see* juzgado

instinto, instinct

instrucción, instruction

instructor, instructor, teacher

instruído, -a, instructed

instrumento, instrument; **— de trabajo,** tool

insubordinado, -a, unruly

insumiso, rebel

integrado, -a, formed, made up

integrante, *m.* member, participant

intelectualmente, intellectually

inteligencia, spirit, comprehension, understanding; frame of mind; **con despechada —,** disappointed, disgruntled

intemperie: a la —, in the open air, out of doors

intención, intention, purpose; **por la —,** in intention

intenso, -a, intense

intentar, to try, intend, plan; **— en,** to intend for

intento, purpose; **hacer — de,** to prepare to

interés, *m.* interest

interesar, to interest, concern

interior, inside, interior

interminable, endless, undying

intermitentemente, intermittently

internar: —se por el monte, to go into the forest

interponerse, to interpose, place oneself in the way

interpretado, -a, understood

intérprete, *m.* guide, interpreter

interrogar, to question

interrupción, interruption; **sin —,** uninterruptedly

intervenir, to take part

intimidar, to intimidate, frighten

íntimo, -a, innermost; firm

intransitable: lo —, the impassability

intrincado, -a, entangled; **lo más —,** the densest growth

intruso, intruder

intuitivo, -a, intuitive; evident

inundación, flood

inútil, useless, superfluous, vain

inutilidad, futility

inútilmente, in vain, vainly

invadir, to invade

invalidar, to nullify, wipe out

inválido, -a, crippled, disabled

invasor, invader

inventiva, ingenuity

inverosímil, improbable, unbelievable

invisible, out of sight, hidden

invitación, invitation

invitado, -a, invited, tempted

ir, to go; go on; be; **— por,** take in, range over; **— tras,** to follow; **al — y venir,** upon going back and forth; **en el — de los días,** as time goes on; **—se,** to go away, pass; *n. m.* passing, going

ira, anger, wrath

iris, *m.* rainbow

irreal, unreal, imaginary, non-existent

itacate, *m.* (*Ind.*) supply of provisions

ixpócatl, *f.* (*Ind.*) young woman

izquierdo, -a, left

J

jabalí, *m.* wild boar, peccary

jadeante, panting

jaladizo, enclosure

jalado, -a, pulled, curved, drawn

jalamate, *m.* (*Ind.*) *Mexican tree the bark of which was used as paper by the ancient Mexicans*

jamás, never

jamón, *m.* ham

* jarillal, *m.* thicket

jarrilla, reed

jauria, pack (of dogs); **toda una —,** a whole pack

jefe, *m.* leader, chief; head (of a family); boss; **— de las armas,** military commander

jícara, calabash, gourd; chocolate cup; **— del agua,** water gourd

jinete, *m.* rider, horseman

jornada, stage *or* stretch (of journey); day's trip

jornal, *m.* day's pay, daily wage

jornalear, to work for a daily wage

joven, young; *n. m.* young man, youth; *n. f.* young woman, girl; *n. pl.* young people

juego, game; ceremonial

juez, *m.* judge; **— de paz,** justice of the peace; **— de primera instancia,** judge of the primary court of claims

jugar, to play; **—se,** to risk

jugo, moisture, nourishment

juicio, suit, case

junta, council, meeting

juntar, to gather; *n. m.* collecting

junto, -a, together, huddled together; **— a,** beside; near; past

juntura, chink, joint, crevice

jurisdicción, territory; property; precinct; parish

justicia, law; judgment, decision; justice; **ser de —,** to be just

justo, -a, just

juventud, youth

juzgado, court; **— de primera instancia,** primary court of claims

K

kilómetro, kilometer (*3280.8 feet or about* ⁶⁄₁₀ *of a mile*)

L

labio, lip

labor, *f.* daily tasks, work; patch (of land); estate; **campo de —,** arable land, field; **tierra de —,** cultivated ground

labrado, embroidery; band of embroidery

labranza, cultivation; **implemento de —,** agricultural implement

labrar, to work; embroider; till

lacio, -a, straight (of hair)

ladera, bank, slope

lado, side; **de otro —,** on the other hand; **de un —,** on the one hand

ladrar, to bark; **no hacía más que —,** kept barking; *n. m.* barking

ladrido, bark, barking

ladrón, *m.* thief

lagarto, alligator

lago, lake

lágrima, tear; drop

laguna, lagoon

laja, slab

lamentable, deplorable

lamentar, to regret, bewail; complain (of)

lamento, lament

lamer, to lick

lana, wool

lanza, lance, pike; spear

lanzar, to launch; throw; hurl, cast; utter; start; —se, to hurl oneself, plunge in

lápida, tombstone

largamente, at length, for a long time

largo, -a, long; n. m. length

lástima, pity

lastimoso, -a, painful, pitiful

lastre, m. dead weight

lata, can

lavar, to wash

lazo, noose; bond; cord

leer, to read; —se, to be read

legajo, bundle, roll

legalista, legal

legalmente, legally

legendario, -a, legendary

legua, league

lejanía, distance

lejano, -a, distant

lejos, in the distance, distant, far away, afar

lengua, language, tongue

lenguaje, m. language

lentitud, graveness, gravity

lento, -a, slow; en forma muy lenta, very slowly

leña, firewood

leño, piece of firewood

leopardo, leopard

lesión, wound

lesionado, -a, wounded, injured

levantar, to pick up, raise up, raise, erect, lift; put up; —se, to arise, stand up, be erected

ley, law; de —, legal

liberalidad, liberality, liberal policy

libertad, liberty

libertario, -a, liberating, revolutionary

librar, to free

libre, free

libremente, unrestricted

licor, m. liquor

líder, m. leader, district political organizer

lienzo, stretch, apron

ligereza, agility, speed

ligero, -a, slight; light, comfortable

limado, -a, worn down

límite, m. border

limosna, alms, charity

limpia, clearing

limpiar, to clean; wipe (brow); clear

lindero, boundary marker

lindo, -a, fine

línea, line

liquidación, settlement, pay

liquidar, to "liquidate," kill

líquido, -a, liquid

lisa, mullet

lisiado, -a, crippled, maimed; n. m. cripple

liso, -a, smooth; straight

lista, list

listo, -a, ready

liturgia, ritual

litúrgico, -a, liturgical

local, local; n. m. building

localidad, locality

locura, folly, madness

lodo, mud

lógico, -a, logical

lograr, to accomplish, bring about, achieve; succeed in; dig out

loma, hill, slope

lomo, back, surface

longevidad, longevity, long life-span

longitud, length

loro, parrot

lucecilla, point of light

lucir, to display, show

lucha, struggle, battle, feud

luego, then, so; de — a —, right off, instantly; desde —, at once

lugar, *m.* place; village, settlement; spot, vicinity; en — de, instead of; en primer —, first; tener —, to take place, occur

lugareño, -a, local; *n. m.* villager

lujo, luxury

lumbre, *f.* fire

luminaria, illumination; center of light

luminosidad, brightness; dar una gran —, to light up

luminoso, -a, brilliant, bright

luna, moon

luz, *f.* light; *pl.* gleams; — de los fogones, firelight; a la —, by the light

LL

llamado, -a, called, summoned; so-called; *n. m.* knocking on the door; call

llamar, to knock; call; — la atención, to attract attention; —se, to be called

llegada, arrival

llegado, -a, arrived; recién —s, newcomers, strangers

llegar, to arrive, come, go; — a, to reach; — hasta, to reach; al — donde, upon reaching the spot where

llenar, to fill; attain, achieve; —se (de), to fill, be filled (with)

lleno, -a, full, filled

llevadero, -a, slight, simple

llevado, -a, taken, given; —s y traídos, taken back and forth

llevar, to wear, carry; lead; bring; bear; have; take; — a cabo, *see* cabo; —se, to carry off, carry away, place; require

llorar, to weep, wail; mourn; romper a —, *see* romper

llover, to rain, rain down

llovizna, mist

lluvia, rain; días de —, rainy season

M

macizo, -a, firm; — de carnes, robust

machete, *m.* cutlass, cane-knife

macho, male

madera, wood; makings, qualities

madero, log

madre, *f.* mother

madrugada, dawn; en la —, before daybreak

madurez, ripeness, maturity

maduro, -a, ripe; setting

maestro, teacher

magisterio, school teaching; — rural, teacher of a rural school

magnífico, -a, splendid, magnificent

maiz, m. maize, corn

maizal, m. cornfield

mal, adv. wickedly; angrily; n. m. evil, harm; spell; illness

malacate, m. * spindle

maldito, -a, cursed; n. f. cursed woman

maleficio, spell; evil

maléfico, -a, evil, harmful

maleta, suitcase, traveling bag

maleza, underbrush, thicket

mal(o), -a, bad, ill, evil; de mala gana, unwillingly; muy llevada por la mala, much given to being perverse

malvado, -a, wicked

mamar, to nurse; dar de —, to nurse

manada, herd

manantial, m. spring

mancha, stain, blot

mandar, to send, order

mandato, command, order

manejar, to handle; wield; manage

manejo, handling, use

manera, manner, way; a — de, like, as; de — entusiasta, enthusiastically; de — valiente, boldly, courageously; a su —, in his own way; de todas —s, in any event

maniatado, -a, with hands tied, bound

manifestación, demonstration

manifestante, m. demonstrator

manjar, m. food, victuals

mano, f. hand; —s de piel cobriza, copper-colored hands

manojo, bunch

mansedumbre, gentleness

manso, -a, gentle, tame

manta, blanket; coarse cotton cloth, bleached muslin

mantener, to provide for; —se de pie, to stand

mañana, morning; muy de —, very early in the morning; adv. tomorrow

mañosamente, maliciously, craftily

mapa, m. map

maquinalmente, methodically

mar, m. and f. sea

maravilla, wonder

maravilloso, -a, wonderful, remarkable

marcado, -a, marked out

marcha, course, gait; march, advance; reanudar la —, to start again

marchar, to go; —se, to leave

margen, f. bank (of a stream)

marido, husband

martillo, hammer (of a revolver); mallet

martín pescador, m. kingfisher

mártir, m. martyr

más, more, most; again; any longer; los — + noun, the

greatest . . . ; **no — que,** only

masculino, -a, masculine

mástil, *m.* pole, mast

mata, plant, bush; clump; **en la —,** before the harvest

matar, to kill; **— a balazos,** to riddle with bullets; **dejarse —,** to let oneself be killed

materia, matter

material, material; practical; **obras —es,** public works

matilla, thicket, bush

matiz, *m.* tint, hue, color

matlazincas, *m. pl.* Matlazincas (*an Indian tribe given to the use of the net*)

matorral, *m.* thicket, under-growth

matrimonial, (of) marriage

matrimonio, marriage, matri-mony; married couple, hus-band and wife; **para el —,** to be married, in marriage

mayor, larger, greater, largest, greatest; longer

mayoría, greater part; majority; **en su —,** mostly

mazorca, ear (of corn)

mecido, -a, swayed, rocked

mecha, fuse; **por la — en los cigarros,** by touching the fuse to the cigars

mechero, burner, wick-holder

mediano, -a, mediocre

mediante, through, through the medium of

mediar, to intervene

medicina, medicine

medida, measure; method; **a — que,** according as, whilst

medio, -a, half (a)

medio, midst, middle; means; environment; **— de,** in the midst of; **en — de,** with; **por en —,** amidst, through the middle

mediodía *m.* noon, midday

medir, to measure, gauge

meditar, to meditate

meditativo, -a, meditative, mus-ing

mejor, better, best; **— dicho,** rather; **a lo —,** perhaps; it might well be that; at best; **lo —,** the best

mejora, betterment

mejoramiento, improvement, betterment

mejorar, to improve

mejoría, improvement

melodía, melody

memorial, *m.* memorial, petition

mencionar, to mention, read

menor, least, slighted

menos, less; least; except; **al —,** at least, even; **cuando —,** at least; **nada — que de,** of no less (a person) than; **por lo —,** at least

mensajero, messenger

menudo, -a, small, short; tiny; **con andar —,** with short steps

mercader, *m.* merchant, trader

mercadería, merchandise; *pl.* wares

mercado, market
merecer, to deserve
mes, *m.* month
mesa, table
mestizaje, *m. coll.* half-breeds
mestizo, half-breed, mestizo; —
del campo, half-breed land
worker
metálico, -a, metal
* metate, *m.* mortar (*utensil used
for grinding corn*)
meter, to put, place; put in;
feed; send; make effective use
of; —se a, to enter
metido, -a, placed, dipped;
turned; — a, become
metro, meter
metrópoli, *f.* metropolis, capital
mexcatl, *m.* (*Ind.*) translator,
interpreter; *one who speaks
the Indian language well*
mezclado, -a, mixed
mezquino, -a, miserable
miedo, fear; sentir —, to be
afraid
miel, *f.* syrup; honey
mientras, while; — que, while;
— tanto, meanwhile
milagro, miracle; ex-voto
milagroso, -a, miraculous, mira-
cle-working
milpero, -a, of the cornfield
mina, mine
minería, mining; trabajos de —,
mining operations
minucioso, -a, detailed, minute
minúsculo, -a, very small, di-
minutive

minuto, minute
mira, purpose
mirada, glance; look, glare; *pl.*
eyes
mirador, *m.* balcony
mirar, to look (at); see; watch,
behold; —se, to look at (each
other)
misa, mass
miseria, misery
misión, mission
mismo, -a, same; himself; very;
pron. same one; *pl.* themselves; el — que, the same as,
that which, the very one who;
lo — que, the same as, merely;
lo — ... que ... que, ei-
ther ... or ... or; por lo
—, for that reason
misterio, mystery; de —, myste-
riously
misterioso, -a, mysterious
mitad, middle, half; en — de,
between
mitin, *m.* political meeting
mochila, haversack, provision
bag
modalidad, style
modestia, modest position
mojarse, to get wet
mojarra, porgy (*a kind of fish*)
moler, to grind
molestia, discomfort, trouble, in-
convenience
molesto, -a, troublesome, aching
molienda, grinding (sugar cane),
harvest
momento, moment; —s después,
in a very short time; al —, at

once; **en esos —s,** at that time; **por —s,** by the minute

moneda, coin

monótono, -a, monotonous; *adv.* monotonously; **acento —,** monotone

montado, -a, mounted

montaña, mountain

montar, to ride, mount

montaraz, *m.* one familiar with the mountains; animal (of the mountains), game; **por —,** because he knew the mountains

monte, *m.* woods, forest, woodland; mountain; **gallina de —,** grouse

montículo, ridge; mound

montura, saddle; mount

morado, -a, purple

morador, inhabitant

morder, to bite, snap at

mordida, bite

moreno, -a, brown, dark

moribundo, -a, dying

morir, to die; **—se,** to die, be killed

moroso, -a, slow-moving, laggard, tardy

morral, *m.* sack, pouch; **— de provisiones,** food-sack, lunchbag

mosca, fly

mostacho, mustache

mostrar, to show, display

motivar, to serve as a reason for, bring about

motivo, cause, reason

movedizo, -a, moving

mover, to move; motivate; provoke; **—se,** to move, turn

movimiento, movement, motion; waving; **— de cabeza,** nod, nodding one's head

muchacha, girl

muchacho, boy, child, lad; *pl.* boys and girls, boys

muchedumbre, crowd

mucho, -a, much, a great deal (of); deeply; for a long time; *pl.* many; **un —,** greatly

mudo, -a, mute

muela, molar, tooth

muerte *f.* death; **dar —,** to kill

muerto, -a, dead; *n. m.* dead man; *n. pl.* **los —s,** the dead

mujer *f.* woman; wife

mula, mule; **— de carga,** pack mule

muleta, crutch

multa, fine

multitud, crowd; **toda una —,** a whole crowd

mundo, world, earth; **— de civilización,** civilized world

muñeco, doll, figure

murciélago, bat

murmurar, to murmur

música, music; band; **— de órgano,** organ music

músico, musician

musitar, to mumble

muslo, thigh; **medio —,** halfway up the leg

mutilación, mutilation

mutilado, -a, carved, butchered

mutismo, silence

muy, very, very much

N

nacido, -a, born

nacimiento, source, beginning; — de los muslos, crotch, loins

nada, nothing, not a trace; anything; not at all; — menos que de, *see* menos; para —, at all

nadador, swimmer

nadar, to swim

nadie, no one, nobody; anyone

nado: a —, swimming

nahual *m.* (*Ind.*) wizard, sorcerer; *see* Notes, 10, 10

naranjo, orange tree

nativo, native, Indian

natural, natural; *n. m.* native, Indian

nave, *f.* nave

necesario, -a, necessary; lo —, what was necessary, paraphernalia; lo — para vivir, food, enough to eat

necesidad, need, necessity; haber — de, to be necessary to; haber — de que, to be necessary that

necesitar, to need

necténquetl, *m.* (*Ind.*) honey man

negar, to refuse, deny

negrísimo, -a, intensely black

negro, -a, black

nervioso, -a, nervous; wavering; nervously

ni, neither, nor, not . . . either; not even; — . . . —, neither . . . nor; — para, not even for

nido, nest

nieto, grandchild

ninguno (ningún), -a, not, not a; *pron.* no one, none

niño, child; desde —s, from childhood

nivel, *m.* level, elevation

nixtamal, *m.* (*Ind.*) corn meal dough (for tortillas)

noción, idea; —es legalistas, rudiments of law

nocturno, -a, nocturnal, dark

noche, *f.* night; — de claridad, clear night; — de luna, moonlight night; — de lluvia, rainy night; la media —, midnight; por la —, at night

nombre, *m.* name; a —, in the name

norte, *m.* north

nota, note

notable, distinguished; noticeable

notar, to notice, note; ya habían hecho —, had already called attention to the fact

noticia, news; piece of news

notificar, to notify; announce

novedad, news

novia, sweetheart

nube, *f.* cloud

nuca, back of the neck

nudo, knot; — corredizo, noose

nuera, daughter-in-law

nuevamente, again, newly; now

nuevo, -a, new; *n. f. pl.* news

nulo, -a, nil

número, number; event

numeroso, -a, numerous; large

nunca, never, ever

nutrido, -a, abundant

O

o, or

obedecer, to obey; be due

obediencia, obedience

objeción, protest, objection

objectivo, aim; **sin —,** aimlessly

objetar, to protest, protest against

objeto, object, purpose; **sin —,** haphazardly

obligación, obligation, duty; **tener la —,** to be under the obligation

obligar, to force, obligate; require

obra, job, task, work

obrera, worker bee

obscuridad, darkness

obsequiar, to present; give (a present); treat

obsequio, gift, present

observación, observation

observar, to observe, look on, watch; examine; notice

obtener, to obtain, secure

ocasión, occasion; instance; opportunity; time; **en —es,** at times, now and then

ocioso, -a, idle

ocote, *m.* torch, pitch-pine torch *or* taper

ocultar, to hide, conceal

oculto, -a, hidden

ocupación, occupation, task

ocupar, to occupy, take, hold; **—se,** to be engaged, busy oneself

ocurrirse, to occur

ocurso, petition, claim

odio, hatred

ofender, to insult

ofendido, -a, offended; *n. m.* offended man

oferta, offer

oficiar, to say mass

oficio, profession; **de —,** by profession

ofrecer, to offer, afford; set out

ofrenda, offering

ofrendar, to present offerings

oído, ear; **meter el —,** to stick one's ear in (side)

oír, to hear, listen

ojillo, little eye

ojo, eye; **— fotográfico,** lens; **con grandes —s asombrados,** wide-eyed; **echar un —,** to cast a glance

olfatear, to scent, sniff, *n. m.* sense of smell

olfato, scent, smell

olor, smell

oloroso, -a, fragrant

olvidar, to forget; **—sele (algo a uno),** to forget

olla, jar; pot, dish

onda, wave

ondulación, wave, undulation

ondulante, winding, undulating

opacarse, to become dark or opaque

opaco, a-, opaque

operación, operation

opinar, to think

opinión, opinion; decision; diagnosis, explanation

oponer, to offer (resistance), counter with; **—se (a),** to object (to)

oportunamente, opportunely, on time

oportunidad, occasion, opportunity; **en su —,** opportunely

oportuno, -a, suitable, fitting

optar, to choose; **— por otro camino,** to choose another course

opuesto, -a, opposite

oración, prayer

orador, orator

orden, *f.* order, discipline

ordenar, to order; arrange, make up; **—se,** to be ordered, fall

oreja, ear

organizador, organizer

organizar, to organize; co-operate; line up; **—se,** to be organized, be held, organize themselves

órgano, organ

orgulloso, -a, proud

oriente, *m.* east; **del lado del —,** to the east

originario, -a, native

orilla, fringe, edge; side; bank (of a stream)

orillero, -a, at the side (of the stream *or* path)

orla, edge

orlado, -a, edged

oro, gold

oscuro, -a, dark

oso, bear

* otate, *m.* reed, bamboo

otro, -a, other, another, any other, next; *pl.* others, more; **uno que —,** see **uno**

ovillado, -a, huddled, rolled up

oyente, *m.* listener

P

paciencia, patience

paciente, patient

pacífico, -a, peaceful, quiet

padre, father; *pl.* parents

pagado, -a, paid

pagar, to pay

pago, pay, payment

país, *m.* country

paisaje, *m.* landscape

paja, straw

pájaro, bird

pajizo, -a, straw, thatch, brush; yellowish

pala, shovel

palabra, word

palacio, palace; **— de gobierno,** government palace

pálido, -a, pale

palma, palm; **sombrero de —,** straw hat

paloma, dove

palomo, pigeon

palparse, to run one's fingers over

pánico, panic; fear

panorama, *m.* view, panorama

panorámica: en —, over the unfolding landscape

pantalón, *m.* pair of trousers; **— de montar,** riding breeches

pantorrilla, calf (of the leg)

panza, paunch; **— de burro,** the color of a donkey's belly

pañuelo, kerchief, bandana

papayo, papaw-tree

papel, *m.* paper; **— de madera,** wood-paper

paquete, *m.* package, bundle

para, for; to, toward; in order to; so; — **con,** toward; — **dónde,** where

parado, -a, sharp, erect, peaked; **quedarse —,** to stop

paraje, *m.* spot, place

paralítico, -a, paralytic

parapetado, -a, hiding (as though behind a parapet)

parapeto, canyon wall, barrier, parapet

parar, to place; **—se,** to stop, perch

pardo, -a, drab, gray, shadowy, brown

parecer, to seem; resemble, be like; **al —,** apparently, seemingly; *n. m.* opinion, view

parecido, -a, similar

pared, *f.* wall

pareja, couple

parejo, -a, even

pariente, *m. and f.* relative

párpado, eyelid

parque, *m.* ammunition

parte, *f.* part; share; party; **a otra —,** elsewhere; **de —,** on the part, on the side; **por —,** on the part; **por alguna —,** somewhere; **por** *or* **en todas —s,** everywhere; **por otra —,** on the other hand; **por otras —s,** elsewhere

participar, to share

partícipe, *m. and f.* participant

partida, departure; band, detachment; **de —,** along the trail

partidario, partisan

partir, to leave, depart; divide, cut; start off; split, chop

pasadero, passage for game

pasado, -a, past, former; after; last; — **un momento,** after a moment; **—s algunos días,** after a few days; **pasada media hora,** after half an hour; **—s algunos meses,** a few months before

pasar, to pass, spend (time); wave; string; — **por sobre,** to disregard

pasear, to let travel; **—se,** to walk back and forth

paso, step; gait; way; passage, path; stretch; flight, passing; trail; — **a —,** deliberately; **a largos —s,** with long steps, stalking; **a unos —s,** a few steps away; **dar —,** to walk; **dar un —,** to take a step; **dar unos —s,** to stroll; **de —,** in passing, incidentally; **llevar de —,** to sweep away

pastura, fodder

pata, foot, hoof

patear, to kick about, stamp

patiecillo, little yard

patio, yard, courtyard, patio

patlancuáhuitl, *m.* (*Ind.*) flier; *see* Notes, 9, 2

pato, duck; — **de cabeza morada,** purple-headed duck

patria, fatherland

patriarca, *m.* patriarch

patrón, *m.* employer

pausado, -a, slow, deliberate

paz, *f.* peace

pecho, chest, breast

pedazo, piece; **hecho —s,** shattered

pedir, to ask (for); beg; levy

pedregal, *m.* stony ground, stony tract; stony bed (of a stream)

pedregoso, -a, stony, rocky

pedrusco, rough piece of stone; **un — recibido,** being struck by a rough piece of stone

pegar, to hitch, harness; pound, beat; fix, fasten, stick

peldaño, step

pelea, battle, fight

peligro, danger

peligroso, -a, dangerous; **por muy — que fuera,** however dangerous it might be

pelo, hair

peludo, -a, hairy

pender, to hang

pendiente, *f.* precipice; slope; cliff; **echar por la —,** to throw down the cliff

penetrante, sharp, piercing

penetrar (a *or* en) to enter, penetrate

pensar, to think; intend; meditate; **— +** *infin.* to expect to (+ *action of the infin.*); **— en,** to think of, concern oneself with; *n. m.* thought

pensativo, -a, thoughtful

penúltimo, -a, next to last

penumbra, shadow, half-light, gray light

penuria, poverty

peña, cliff

peón, *m.* day-laborer

pequeñez, minuteness, smallness

pequeño, -a, small, slight, little

percatarse, to be aware; **— de (que),** become aware of (the fact that)

percibir, to perceive, notice

perder, to lose; cast aside; waste (time); **—se,** to go astray, be lost, disappear

pérdida, loss

perdón, *m.* pardon

perdurar, to live on

peregrinación, pilgrimage

peregrinar, to migrate, go on a pilgrimage

peregrino, pilgrim

perfectamente, absolutely; correctly; perfectly

perfecto, -a, sound, perfect

perfume, *m.* aroma

perjudicar, to harm

permanecer, to remain

permanentemente, permanently, chronically

permiso, permission

permitir, to allow, permit; **—se,** to take the liberty

pero, but

perpendicularmente, vertically, from directly overhead; at right angles

perro, dog

persecución, persecution, chase

perseguidor, pursuer

perseguir, to persecute, pursue

persistir, to persist

personaje, *m.* personage

perspectiva, prospect

perspicacia, cunning

pertenecer, to belong

pesado, -a, heavy

pesar, *m.* grief; a — de (que), in spite of (the fact that)

pesca, fishing; fishing party; fish; a la —, to fish

pescado, fish

pescador, fisherman

pescar, to fish; *n. m.* fishing; chuzo de —, fishing spear; red de —, fish net

pesimista, *m.* pessimistic

peso, weight; peso (*monetary unit*); en —, suspended in the air

peste, *f.* plague

* pesuña, hoof

petate, *m.* mat; *see* Notes, 16, 1

petición, request

peticionario, petitioner

pez, *m.* fish

picante, *m.* chili, highly seasoned relish

picar, to scorch, burn

pie, *m.* foot; (de) a —, afoot, on foot; ponerse de —, to stand up

piedra, stone, boulder, rock; — de grano, sandstone

piel, *f.* pelt, skin, hide

pierna, leg; knee; — al aire, bare-legged

pieza, room; piece of game; body

piloncillo, loaf of sugar

piltrafa, paring of hide, scrap

pincelada, brushstroke

pintado, -a, revealed, expressed; — de, painted

pisada, track

pisar, to set foot on; visit; tread upon

piso, ground

pisotear, to trample upon

pistola, revolver, gun

placer *m.* pleasure

planadita, little square; small level place

planear, to glide; plan

planilla, ticket

plano, map

planta, plant; sole

plantar, to plant; station

plantel, *m.* school

plantígrado, -a, plantigrade, flat-soled

plata, silver

plateado, -a, silvery

plática, conversation

platicar, to converse with, talk

plato, plate, dish

plaza, town square, plaza, market; fort

plegaria, petition, prayer

pleno, -a, open; bright; full; — día, the full light of day; en —, on high

plomo, lead

pluma, feather; *see* cañón

población, town

poblado, -a, populated; *n. m.* town

pobre, poor

pobreza, poverty

poco, -a, little, slight; *pl.* few; — a —, little by little, gradually; a —, in a little while

podar, to prune, cut

poder, to be able; — **más,** to carry more weight, be of greater importance; **no — menos que,** not to be able to help; *n. m.* power

poderoso, -a, powerful; *n. m.* wealthy person

policía, police; *m.* policeman

político, -a, political; *n. m.* politician; *n. f.* politics, campaign

polvo, dust; — **de oro,** gold dust

pólvora, powder

pollada, brood

pómulo, cheek bone

poner, to put, place; show, evince (interest); lay (siege); fasten; — **el ejemplo,** *see* ejemplo; — **fuego,** to set on fire, burn; — **los brazos en línea horizontal,** to extend one's arms horizontally; **—se a,** to begin to; **—se a tiro,** to get within range; **—se de pie,** to stand up, arise

poniente, *m.* west

popular, of the people

popularidad, popularity

por, by; for; along; from; over; because (of); on account of; in; through; during; at; across; of; to; about to, with; — **donde,** along which; — **eso,** hence, for that reason; — **sobre,** above, over; **de — sí,** naturally

poroso, -a, porous

porque, because

portador, bearer

portal, *m.* porch, entrance

portalito, little entrance porch

portar, to carry, wear

posar, to perch; **—se,** to settle down; poise oneself

poseedor, possessor

poseer, to possess, have

posesión, possession

posesionarse, to take possession

posibilidad, possibility

posta, shot

postal, postage

potrero, pasture

pozo, well, spring

práctica, practice, method

practicar, to carry out

práctico, -a, practical

precaución, precaution, caution

precedente, *m.* precedent

precio, price

precioso, -a, precious

precipicio, precipice

precipitación, haste

precipitado, -a, hasty

precisamente, precisely, specifically, exactly; particularly

precisión, precision, skill; accuracy, exactitude

preciso, -a, exact, precise; set

precursor, -ora, preliminary

predilecto, -a, favorite

predominar, to predominate

preferentemente, preferably

preferir, to prefer; desire; favor; frequent

pregón, *m.* cry, message

pregunta, question; **hacer una (la) —,** to ask a (the) question

preguntar, to ask

prematuro, -a, premature

prenda, article; garment

prender, * to light; —se a, to grasp, cling to

prendido, -a, * lighted; hanging, suspended; perched; prendida a, caught in

preocupado, -a, concerned; worried; perturbed

preparación, training

preparar, to prepare; set (a trap); clean

preparativo, preparation

presa, (piece of) game, quarry, prey; dam

presencia, presence

presenciar, to witness

presentar, to show; undertake (action); offer (resistance); put (the shoulder); pay (respect); present; —se, to appear, be present, present oneself; occur

presente, n. and adj. present; hacer —, to show; los —s, those present

presidencia, presidency

presión, pressure; pushing

preso, prisoner

prestación, rendering

prestar, to offer, lend; render (service); produce; — oídos, to listen

presunto, -a, doomed

pretender, to try, attempt

pretendiente, m. suitor, wooer

pretensión, demand, claim

pretexto, pretext

prevalecer, to prevail, be prevalent

prevenido, -a, forewarned

previo, -a, prior, previous

previsión, foresight, preparation

primero, -a, first

primicia, offering of the first fruits, preliminary offering

principal, main, principal; especial; n. m. leading citizen

principiar, to begin

principio, principle; dar —, to begin; en un —, at the beginning

prisa, haste, hurry; a toda —, at full speed, very hurriedly; de —, hastily

prisionero, prisoner

privarse, to refrain

probar, to try, taste

problema, m. problem

procedencia, origin

proceder, to proceed, act; n. m. conduct, behavior; —se, to be used; be practiced

procedimiento, procedure, method; con el —, by this method

proclamar, to announce

procurar, to seek, secure, bring about

producir, to produce, raise

producto, produce, product

profano, -a, secular

profesor, schoolmaster

profundidad, depth

profundo, -a, profound, deep; sound

programa, m. program

progresista, progressive

progreso, progress

prohibición, warning; restriction, prohibition

prohibir, to prohibit, forbid

prole, *f*. offspring, children

prolongado, -a, prolonged, persistent

promesa, promise

prometer, to promise; —se, to look forward to

prometida, betrothed

prominencia, peak

prominente, important

prontitud, speed

pronto, quickly; soon; bien —, suddenly; de —, suddenly

pronunciado, -a, pronounced; steep

pronunciar, to pronounce, speak; make (a speech)

propagar, to spread; —se, to spread

propiamente, strictly speaking, really

propicio, -a, favorable, propitious; nada —, unfavorable

propio, -a, native, own; suited, becoming; same, very; natural

proponer, to propose

proporción, proportion, space

proporcionar, to furnish, provide

proposición, proposal

propósito, intention, aim in view; object

proseguir, to continue (with)

prosperar, to flourish

protección, protection, safety

protector, patron

proteger, to protect, guard, shield

protesta, protest

protestar, to protest

proveerse, to provide oneself

provisión, victuals, food

provisto, -a, provided

provocar, to provoke, arouse, occasion, cause

proximidad, proximity

próximo, -a, near; coming; nearby

proyectil, *m*. projectile, missile, bullet

proyecto, plan

prudencia, prudence

prueba, proof; trial, sample

público, -a, public

pueblo, town; los del —, the townspeople

puerco, hog, pig; peccary

puerta, door; a — cerrada, behind closed doors; de — en —, from door to door

pues, since, for; *interj.* well, so then; — que, for, since

puesto, -a, held, placed; fixed; fastened, put; *n. m.* stand; post, place; outpost

pugna, conflict

pujar, to grunt

pujido, grunt

pulido, -a, smooth

pulverizado, -a, pulverized

punta, point, tip; de —, endwise; en —, in a shrill yelp

puntal, *m.* pointed prop

puntiagudo, -a, sharp, pointed

punto, point; spot, pock; object; estar a — de, to be on the point of; — de vigilancia, front to be watched

puntual, punctual

puntuar, punctuate; — **el silencio,** to break the silence

puñado, handful; —**s líquidos,** handfuls of water

puro, -a, pure

putrefacción, putrefying flesh

Q

que, *rel. pron.* which, that, who, whom, with which; **el, la —, los, las —,** who, which, that; the one who *or* which; those who, the ones who *or* which; **lo —,** *neut.* that, which, that which, what

¿qué?, what? **¡ — !,** what! what a! how!

que, *conj.* that; than; as; for; **hasta —,** until; **sino —,** but

quebrar, to break

quedar, to remain, be left, be; —**se,** to remain, become

queja, creaking

quejar, to complain; —**se,** to complain, whine, groan

quemar, to burn

querer, to wish; try; love

querido, -a, beloved, cherished

quexquémetl, *m.* (*Ind.*) shawl

quien, who, whom; the one who, the one to whom; whomever; *pl.* those who *or* whom, they who; **cada —,** each; **no hubo —,** there was no one who; **hubo —es,** there were some who

¿quién? who? whom?

quijada, jaw

quitar, to remove; —**se,** to remove, take from

R

rabia, rage

rabo, tail

racimo, string (of fish)

radicar, to rest, take root

raíz, *f.* root

ralo, -a, slight

rama, branch

ramaje, *m.* mass of branches

ramo, bouquet, bunch

rana, frog

ranchejo, settlement

ranchería, settlement, hamlet, village

ranchito, little hut

rancho, hamlet, settlement; small farm; ranch; hut

rapidez, speed; **con —,** quickly

rápido, -a, quick, fast

raro, -a, strange, rare

rasgadura, scratch

rasgo, feature, trait

rastreo, snuffing, sniffing

rastrojo, stubble, cornfield

rata, rat

ratificar, to approve

rato, little while, while; **a —s,** now and then, at intervals

rayar, to rule, streak, border

raza, race; people

razón, *f.* reason; right; explanation; **gente de —,** *see* **gente;** **tener (la) —,** to be right

real, genuine; royal; **camino —,** highway

realidad, reality; caer en la —, see caer

realizar, to accomplish

reanudar, to resume, renew; regain

rebaño, flock

rebotar, to reverberate, rebound, bounce

rebote, *m.* rebounding

recargado, -a, * resting, * leaning

recatado, -a, dull; demure

recelo, timidity

recibimiento, reception, welcome

recibir, to receive; — el fresco, to enjoy the fresh air

recién, recently, recent, newly (*used with p. p. only*)

reciente, fresh; recent

recipiente, *m.* receptacle

reclamar, to demand, levy

reclamo, plea; bird-call

recodo, corner, bend

recoger, to reap, harvest; catch; bring in; pick up, gather; collect; withdraw

recomendación, recommendation, credentials

recomendado, -a, prescribed

recompensado, -a, rewarded, repaid

reconcentración, concentration

reconcentrar, to fix (attention); assemble; concentrate

reconocer, to recognize

recordar, to recall, remind

recorrer, to traverse; explore; go through, travel

recortar, to cut out; trim; —se, to stand out in silhouette

recostado, -a, leaning, reclining

recostar, to recline, stretch out

rectificación, rectification, emendation

rectificar, to correct, change

recto, -a, straight

recuento, count

recuerdo, recollection

recuperar, to recover, regain

recurrir, to resort (to)

recurso, resource; weapon; *pl.* means

rechazar, to beat back, repulse

red, *f.* net; — de pescar, fish net

redimir, to reclaim, redeem

redoblar, to redouble

reducir, to limit; reduce; shrink

reducto, stronghold

reencarnación, realization

refacción, financial backing, credit

referirse, to refer, relate

reflejo, reflection; producir —s plateados, to glint

reforzar, to reinforce, emphasize

refractario, -a, refractory, opposed

refugiarse, to seek refuge

refugio, refuge, shelter; retreat

refutar, to rejoin, reply

regado, -a, sprinkled, spread

regalar, to give, give away

regalo, gift, present

regidor, alderman, councilman

región, region

registrado, -a, effected, brought about

registrarse, to be reported

regocijado, -a, joyful

regresar, to return; * give back;
—se, to turn back

regreso, return; (the) way back;
returning; de —, having returned; on returning; while returning; on his (their) return;
estar de —, to be back, have
returned

regular, regular; normal, usual;
medium; some (distance)

reinar, to reign

reintegrar, to restore, bring back

reír, to laugh

relación, report, description; en
— a, compared with

relacionado, -a, related, having to
do

relativamente, relatively

relato, account, narrative; hacer
el —, to recount, retell, narrate

relegar, to relegate

relevado, -a, released, exempt

religioso, -a, religious

reliquia, religious token

remanso, turn, bend

remedio, remedy, help

remendar, to mend

remos, n. pl. legs (of an animal)

remoto, -a, remote; immemorial

remover, to dig up, turn

rencoroso, -a, hostile, angry

rendir, to render

renuente, m. offender, recalci-
trant

renunciar, to resign, give up

reparar: — en, to notice, observe

repartición, distribution, serving

repartir, to divide, distribute

reparto, distribution

repelar, to tear one's hair

repentinamente, suddenly

repercusión, reverberation

repetir, to repeat

repique, peal; pl. pealing

repisa, shelf; tray

replegarse, to draw back, fall
back

replicar, to reply

reposado, -a, deep, drawn out

represalia, reprisal

representación, representative,
symbol

representante, m. representative

representar, to bind; represent

representativo, m. representative,
congressman, deputy

repujado, -a, made repoussé,
hammered into shape

res, f. head of cattle

resbalar, to slide, slip

rescatar, to rescue

reservar, to reserve, keep

resignarse (con), to resign oneself (to)

resistencia, endurance, resistance

resistir, to withstand; —se, to refuse

resolución, decision, solution

resolver, to decide, solve; —se,
to resolve, decide

resonancia, resonance; sound; tener —, to be noised abroad

resonar, to resound

resoplar, to breathe heavily

resorte, m. rubber band

respectivo, -a, respective, own

respecto, respect; — a, with respect to

respeto, respect; **por — a,** out of respect for

respirar, to breathe

responder, to respond, answer

responsabilidad, responsibility, accountability

respuesta, answer, response

restar, to take from, subtract, take away

restirado, -a, stretched

resto, remainder

resuelto, -a, resolute, aggressive; *p. p. of* **resolver,** solved; determined, bold

resultado, result, consequence

resultar, to become; appear; turn out to be

retardar, to delay

retener, to hold, keep; hold up

retirada, retreat

retirar, to retreat; **—se,** to retreat, withdraw

retorcido, -a, twisted, gnarled

retozar, to leap, frisk

retrasar, to delay

retratar, to snap (a picture), take a picture

retrato, picture

retribución, compensation

retroceder, to retreat, turn back

reunión, meeting, gathering

reunir, to gather, collect, meet, assemble in council; **—se,** to gather together, hold a meeting

revelador, -ora, revealing, indicative

revelar, to reveal, show

reventarse, to burst; *n. m.* bursting

reverenciar, to pay homage

reverentemente, reverently

revés: de —, upside down

revolución, revolution

revolucionario, -a, of the revolution

revólver, *m.* revolver, pistol, gun

reyerta, strife

rezar, to announce, read

ribera, river bank

rico, -a, rich

rienda, rein, bridle

riesgo, risk

rincón, *m.* corner

riña, quarrel; **provocar —s,** to pick fights

río, river; **— abajo,** downstream; **— adentro,** into the river; **— arriba,** upstream

riqueza, treasure, wealth; *pl.* riches

risa, laughter

ritual, *m.* rite

robar, to rob, steal; **— a,** to steal from

roca, rock, boulder

rocío, dew

rodar, to roll; **hacer —,** to roll

rodear, to surround

rodeo, detour

rodilla, knee

rogación, prayer

rojo, -a, red

rollo, roll

rombo, diamond; diamond-shaped

romper, to break; — **a llorar,** to begin to weep; —**se,** to break; **al** —**se,** upon being broken; *n. m.* breaking

ropa, clothes, clothing; cloth

rostro, face

roza, brushwood

rubro, sign

rudeza, crudeness

rudo, -a, crude

ruego, prayer

rugosidad, rough stretch

ruido, noise, sound

rumbo, direction; **(con)** — **a,** headed for; in the direction of

rumiar, to chew

rumor, *m.* sound, murmur

rumorosamente, noisily

rural, rural

S

sábado, Saturday; **los** —**s por la tarde,** on Saturday afternoons

sabedor, -ora, acquainted; aware; *n. m.* one who knows; —**es todos de,** since all knew

saber, to know; learn, find out; — + *infin.* to know how + *infin.;* **hacer** —, to inform (of); **no volvió a** —**se de él,** nothing more was known *or* heard concerning him

sabroso, -a, delicious

sacar, to take (out); bring out; stick out; get; — **a tierra,** to pull ashore

sacerdote, *m.* priest

saciar, to satiate, satisfy; — **una venganza,** to take revenge

saco, bag

sacrificio, killing, murder

sacudida, quiver

sagrado, -a, sacred

sahumar, to fumigate

sal, *f.* salt

salario, wages, income

salida, rising; outlet; — **de la luna,** moonrise; — **del sol,** sunrise

saliente, protruding, shelf-like; *n. f.* ledge

salir, to go out; come out, appear; leave; issue, spring, emerge; **al** — **el sol,** (at) sunrise; —**se,** to go out

saltar, to leap

salto, bound, leap; swing; hop; **a** —**s,** in bounds, leaps; **dar** —**s,** to jump; **dar un** —, to jump up

salud, health

saludar, to greet

saludo, greeting

salvaje, wild; *n. m.* savage

salvar, to save; redeem; —**se,** to escape

salvedad, reservation

salvo: ponerse a —, to get into a safe place; seek safety

sanar, to get well

sangrar, to bleed

sangre, *f.* blood

sangriento, -a, bloody

sanguinolento, -a, bloody

sano, -a, healthy

santo, saint
saqueo, sacking, looting
sarta, string (of beads)
satisfacción, satisfaction
secar, to dry
seco, -a, dry; hollow; dejar —, to wither
secretario, secretary
secreto, secret
sediento, -a, thirsty; n. m. thirsty person
seguimiento, pursuit
seguir, to follow; continue; remain
según, as, according to; in time to
segundo, -a, second
seguridad, certainty; con esa —, certain of that
seguro, -a, certain, sure; safe; — de que, certain that; estar — de, to feel certain
seleccionado, -a, select, choice
selva, forest, woods
selvático, -a, forest, jungle
semana, week; a la —, a week; a las dos —s, within two weeks; por —s, by the week
semanero, weekly conscript (an Indian who has been drafted to serve for a week in the home of some influential citizen); estando como —, while serving his week's shift
semblante, m. countenance, face
sembradío, garden, crop
sembrado, -a, planted, sowed; n. m. planted plot

sembrar, to sow, plant; spread; strew, litter
semejante, similar, such
semejanza, similarity
semejar, to look like
sencillo, -a, simple
sensiblemente, perceptibly
sentado, -a, seated, sitting
sentarse, to sit down
sentido, sense, meaning; direction
sentimentalista, sentimental
sentir, to feel; regret; mourn; —se, to feel; n. m. feelings
señal, f. signal; sign; mark
señalar, to show, point out, indicate
señor, sir; lord; gentleman
señorear, to rule over, domineer
señuelo, clue; lure; goal
separar, to separate
sepultado, -a, buried
sepultura, grave; burial; dar —, to bury in a grave
sequía, dry season, drought
ser, to be; take place; — de, to belong to; era que, the fact was that, it was because; es que, the fact is that; había sido que, it had happened that; n. m. being
serpentear, to wind about, meander; encircle; serpenteado con rombos, embroidered in wool with diamond-shaped figures (like the scales of a serpent)
serpenteo: mover en —, to wind
serpiente, f. serpent, snake
serranía, hill, mountainous district, mountain

servicio, service; municipal service

servidumbre, slavery; service, servants, waiters

servir, to serve, be of use; pour (water); carry out, execute; — **de,** to serve as; be of use

seso, brain

si, if, whether; — **es que . . . no,** unless; but, why; *often used for emphasis, see Notes* 1, 18

sí, yes; *often used for emphasis,* but, of course

sí, *reflexive pron. 3rd. sing. and pl.* him, her, yourself; oneself, itself; themselves, yourselves

siembra, sowing, planting

siempre, always, ever; **para** —, forever

sierra, sierra, mountain, mountain range, ridge of mountain

sigilo, caution

siglo, century

significar, to mean

siguiente, following, next

silbar, to whistle

silencio, silence

silenciosamente, silently

silvestre, wild

símbolo, symbol

simetría, symmetry, pattern

simétrico, -a, symmetrical

simpatía, liking, like

simpatizador, -ora, supporting

simular, to pretend

sin, without; — **que,** *conj.* without

sincronizado, -a, rising and falling, rhythmical

siniestro, disaster

sino, but; — **que,** but

síntoma, *m.* symptom; sign

siquiera, even

sitiado, -a, besieged, surrounded; **materialmente** —, almost surrounded

sitio, place, spot; site; — **de maravilla,** wonderland; **en cualquier** —, anywhere

situación, location, position; situation, condition

situado, -a, located, lying

situarse, to station oneself

sobar, to beat, pummel

sobrante, *n. m.* leftover, remainder, rest

sobrar, to be left over

sobre, upon; above, over; about, concerning; against; into; — **todo,** especially; **pasar por** —, *see* pasar; **por** —, above, over, upon; over beyond

sobresalto, surprise, alarm

sobresueldo, bonus

soga, rope

sol, *m.* sun, (hot) day; **al** —, in the sun; **al salir el** —, at sunrise; **hacía** —, the sun was shining; **salida del** —, sunrise

solamente, only

soledad, solitude

solicitar, to ask for; desire; seek

solicitud, concern, anxiety; petition, request

solitario, -a, solitary, lone, lonely

soliviantar, to arouse

solo, -a, deserted; single, alone; **hablar —,** to talk to oneself

sólo, *adv.* only, merely, solely; **— que,** only; **tan —,** only, merely, alone, even

soltero, -a, single, unmarried

solución, solution

solvencia, payment

solvente, fertile

sombra, shadow; shade; *pl.* darkness; **a la —,** in the shade

sombrero, hat

sombrío, -a, somber, sullen

someter, to subject; fasten, **tie**

somnoliento, -a, sleepy

son, *m.* sound; music

sonar, to sound; ring out, resound, re-echo; be heard; beat; *n. m.* sound, beating

sonreír, to smile; **—se,** to smile

sonrisa, smile

soplar, to blow

soportar, to support, endure

sorbo, sip; **dar un —,** to sip, take a sip

sordina: en —, muted

sordo, -a, muffled, dull, soft

sorprender, to take by surprise, surprise

sorpresa, surprise

sospecha, suspicion

sospechar, to suspect

sospechoso, -a, suspicious looking

sostén, *m.* supporter, backer; support

sostener, to insist, affirm; hold; support; carry on; maintain, uphold; hold firm

suave, gentle, light

subida, ascent

subir, to climb; ascend, rise, go up; **— por,** to leap over

sublevado, -a, (made) turbulent

subsidio, subsidy, grant

subsistir, to exist

suceder, to happen, occur; **lo sucedido,** what had happened

sucesión, succession, series

sudor, *m.* sweat, perspiration

sudoroso, -a, perspiring, sweating

sueldo, salary

suelo, ground, floor

sueño, dream

suerte, *f.* good fortune

suficiente, sufficient, ample, **a** fair supply of

sufrido, -a, endured, expended

sufrimiento, suffering, sorrow

sufrir, to suffer, endure

sugerente, suggestive, suggesting

sugerir, to suggest

sumamente, especially

sumar, to add; **—se,** to intensify

sumergir, to submerge, hold under water; **—se,** to dive

sumisión, subjection, submission

superficie, *f.* surface; space

superior, high; superior, upper, higher (up); **orden —,** order from high authority; **órdenes muy —es,** orders from very high authorities

superioridad, superiority; **autoridades**

superstición, superstition

superviviente, *m.* survivor

suplente, *m.* substitute, successor

súplica, entreaty

suplicar, to beg

suplir, to substitute for, do duty for, fill out

suponer, to suppose, guess

suprimir (a), to do away (with), obliterate

surco, furrow

surgir, to appear, arise

surtir, to provide; — sus efectos, to have the desired effect

susceptible, susceptible, receptive

suspendido, -a, slung, hung

sustento, food supply

susto, scare, fright

suyo, -a, his, hers, yours, theirs; member of his party; los —s, his people

T

tabaco, tobacco

tabla, tablet, sign, notice; board; plot; stand

tachuela, tack; — de gran cabeza, thumb-tack

tajada, slice

tajar, to slice

tajo, slash, cutting movement; dar el — en, to slash, slice

tal, such, such a; — vez, perhaps; once

talón, m. heel

talonear, to dig one's heels into

tallo, stalk

tamaño, size

también, also, likewise, too

tambor, m. drum

tamborcillo, little drum

tampoco, not . . . either, neither

tan, so, as, such; — sólo, only

tangencial, f. tangent, angle

tanto, -a, so much, as much, such; pl. so many; — . . . como, . . . , as well as . . . , as much . . . as; both; en — que, while; otro —, as much again; otras tantas, an equal number of; por lo —, therefore; un —, somewhat, rather

tañer, m. ringing

tapar, to cover (up), veil

tarántula, tarantula

tarde, f. afternoon; por la —, in the afternoon; * ya en la —, in the afternoon

tarea, task; amusement

tarima, cot; mat

tatuado, -a, stamped, tattooed

taza, cup; — de coco, half of a coconut shell

tecorral, m. (Ind.) stone wall; dam

techo, roof

tejedor, -ora, spinning, weaving

tejer, to weave

tejo, counter; metal disk

tejón, m. badger

telar, m. loom

telón, m. heel

telpócatl, m. (Ind.) young man

temaxcal, m. (Ind.) steam

temblor, m. trembling; tener un —, to be quivering

tembloroso, -a, tremulous, shaking

temer, to fear

temeroso, -a, fearful, afraid

temor, fear

templo, church

temporada, season; — **de calores,** season of heat; — **de lluvias,** rainy season

temprano, early

tenacidad, tenacity

tenaz, tenacious

tender, to draw, stretch out; set up, construct; spread out

tener, to have; live (years); hold; take; — **con qué,** to have means with which; — **derecho,** *see* **derecho;** — **(la) razón,** to be right; — **lugar,** to take place, occur; — **que** + *infin.,* to have to + *infin.*

tenido, -a, experienced; — **como,** considered; — **por,** considered

tentar, to provoke, arouse; attract

teocuítatl, *m.* (*Ind.*) gold (*literally* "God's dirt")

teoría, theory

tepechiche, *m.* (*Ind.*) wild mountain dog

tepehua, *f.* (*Ind.*) large black ant; *see* Notes, 10, 1

tequihui, *m.* (*Ind.*) official of the tribe

tercero, -a, third

terminación, completion

terminante, precise, positive

terminar, to finish, end; do

término, end; **dar** — **a,** to complete, finish; **segundo** —, background

termómetro, thermometer

terrateniente, *m.* land-owner

terreno, ground, terrain; domain

tesis, *f.* theory

tesoro, treasure

testigo, witness, spectator

tezontle, *m.* (*Ind.*) dark red stone

* **tianguis,** *m.* market fair, market

tianguispepetla, *m.* (*Ind.*) market-mat

tianguistli, *m.* (*Ind.*) market fair

tiempo, time; **a** —, at the same time; **a** — **que,** at the very time that; **hacía mucho** —, a long time before; **por mucho** —, for a long time

tierno, -a, tender

tierra, earth; country; land, soil, ground; **en** —, on the ground; **venirse a** —, to fall to the ground

tigre, *m.* jaguar

tilma, light blanket

timbre, *m.* * stamp; — **de un centavo,** penny postage stamp

timorato, -a, fearful, timid

tinaja, water jar

tirador, marksman

tirar, to pull; shoot, fire; draw; — **de (por),** to pull; —**se,** to throw oneself down; stretch out

tiro, shot; — **de fusil,** gunshot, rifle-shot; **ponerse a** —, to get within range

tiroteo, shooting

tlachisqui, *m.* (*Ind.*) seer

tlapalole, *m.* (*Ind.*) present, gift

tlapehual, *m.* (*Ind.*) trap

tlapextle, *m.* (*Ind.*) bed

tlazo-camati, (*Ind.*) thank you

tocar, to touch; play (**an instru-**

ment); beat (a drum); affect;
—le a uno su turno, to be one's
turn

tochomite, *m.* (*Ind.*) special kind
of green yarn

todavía, still

todo, -a, all, every, whole; *pron.*
everything; toda una, a whole,
a real (+ *noun*)

tolerar, to tolerate

tomar, to take; get; follow;
choose; — asiento, to sit down;
— dispositivos, to make prepa-
rations; — el camino, to set
out; — hacia, to make for

topili, *m.* (*Ind.*) official, marshal;
see Notes, 9, 1

topográfico, -a, topographical

torcer, to twist; — de rumbo, to
change one's course

tormenta, storm, deluge of rain

tormento, torture; dar —, to torture

tornar, to return; — a + *infin.*,
again

torno: en — de, around, about

torpeza, clumsiness; con —,
clumsily

tortilla, tortilla (*a thin, flat pancake made of maize and baked
on a griddle; the native Mexican bread*)

tos, *f.* cough; — ferina, whooping-cough

totatzi, *m.* (*Ind.*) priest, "representative of God"

trabajador, -ora, industrious; *n.*
m. laborer; — de campo, farm
laborer, land worker

trabajar, to work, labor; work at;
ver — a los perros, to see the
dogs on the trail

trabajo, work, labor, task; difficulty; activity; craft; trouble;
—s caseros, *see* casero; en los
—s, at work

tradición, tradition

tradicional, traditional

traducir, to translate

traductor, translator, interpreter

traer, to bring; take (a road)

tragaluz, *f.* skylight

trago, swallow, "swig," drink

tramo, stretch, section; a —s, at
times, in some stretches

trampa, trap

trampolín, *m.* spring-board

trance, *m.* stage, critical moment;
peril

tranquilo, -a, calm, quiet, serene,
peaceful

transcurrido, -a, passed, elapsed

transcurso, course

transformación, transforma-
tion

transformarse, to turn oneself, be
transformed

transitable, passable

transmitir, to transmit, convey,
hand down

transporte, *m.* transportation

trapiche, *m.* sugar-mill, grinding-
machine; — de caña, sugar-
mill

traqueteo, rattling, crackling

tras, after, behind, back of

trasero, -a, hind

trasladarse, to move

tratar, to treat, deal; — con, to associate with; — de, to try to; — sobre, to discuss; —se de, to be a question of, be under discussion

trato, usage; behavior; trade, dealing

través: a — de, through

trayectoria, course, line of flight; see describir

trazo, outlines of a plan, survey; preliminary cut

trecho, interval; de — en —, at intervals, here and there

tregua, pause, lull

tremendo, -a, terrible

trenzado, -a, intertwined, braided

trepar, to climb

triángulo, triangle

tribu, f. tribe

tribulación, sorrow

tributar, to show homage and respect

tributo, tribute-money, tax

trilladero, furrow; trail

trinchera, trench

triste, sad, dreary; sadly

tristeza, sadness, grief

triunfante, victorious

triunfo, victory

troje, f. granary

tronar, to thunder; n. m. thunder, thundering; hacer —, to crush, grind

tronco, (tree) trunk; stem; mast, pole; log

tropa, troop

trote, m. trot

trozo, chunk, piece; fragment; tamp

trucha, trout

trueno, thunder, peal of thunder

tubo, tube

tumbo, tumble; pl. tumbling waters; dar —s, to tumble, hurtle

tumultuoso, -a, tumultuous

túnel, m. tunnel, opening

tupido, -a, dense

turbio, -a, muddy

turno, turn; tocarle a uno su —, see tocar

tutelaje, m. protection, guardianship

tzacual, m. (Ind.), see cúe

tzocoyote, m. (Ind.) whooping-cough

U

último, -a, last; pron. latter; lo —, the last; por —, finally

ultrajado, -a, outraged

ultraje, m. outrage

unción, devotion, reverence

único, -a, only; lo —, the only place

uniforme, uniform, monotonous

unir, to connect; —se (con), to join

uno (un), -a, one; pl. some; — que otro, some . . . or other, an occasional; unas cuantas, a few

untado, -a, greased, oily; glossed down

urgente, urgent; ser —, to call for immediate attention

urgir, to be in demand, be required

usurpar, to usurp

V

vaciar, to empty

vacío, -a, empty; *n. m.* space; **al —**, into space

vadear, to ford, cross

vado, crossing, ford (of a stream)

vaguedad, vagueness

vaina, pod

valer, to avail; **—se de**, to have recourse to, make use of

valido, -a, taking advantage

valiente, brave; **de manera —**, *see* manera

valimiento, rank, importance

valioso, -a, valuable; **lo más —**, the most valuable things

valor, *m.* value

valla, enclosure; dam

valle, *m.* valley, lowlands

vallecillo, gully

vanguardia, lead

vano, -a, vain

vara, pole, stick

variar, to change

variedad, variety

varios, -as, several

vaso, glass

vasto, -a, vast

vecino, -a, neighboring; *n. m.* neighbor; villager, townsman

vega, level expanse of land, plain, lowland

vegetación, vegetation

vegetal, of vegetation; vegetable

veintena, score, group of twenty

velar, to hold a wake over, sit up with

velocidad, speed; **disminuir la —**, *see* disminuir; **tomar mayor —**, to flow more swiftly

velorio, wake

velozmente, swiftly

venado, deer

vencer, to surmount, succeed, win out; conquer; **darse por vencido**, to yield, give up

vendedor, merchant, peddler, vendor

vender, to sell

veneno, venom, poison

venerarse, to be worshiped, be venerated

vengador, avenger

venganza, vengeance

vengar, to avenge, take vengeance for

venir, to come; arrive; **— a**, to result in; **al ir y —**, see ir; **—se a tierra**, to fall to the ground; *n. m.* coming

venta, sale; stand, roadside stand; inn

ver, to see, look at; look on *or* upon; **hacer —**, to point out

verdad, truth; true

verdadero, -a, true, real

verde, green

verdear, to turn green

verde-azul, blue green

verdugo, executioner

verdura, verdure, foliage

vereda, path, trail

versión, story, tale

verso, verse

verticalmente, vertically

vestigio, survivor, descendant

vestir, to wear

veta, vein, seam, grain; lode

vez, *f.* time; a la —, at the same time; a su —, in their turn; de — en cuando, now and then, from time to time; de una —, at once; hacer veces de, to supply the place of; otra —, again; otras tantas veces, each time; tal —, perhaps; una —, once

vía, route; — de comunicación, highway

viaje, *m.* trip, expedition

viajero, traveler

víbora, snake, viper, serpent

vibrante, shrill

víctima, victim

victimado, -a, tortured; *n. pl.* those victimized

victoria, victory

vida, life; world; de toda la —, lifelong

vidente, *m.* seer

vidrio, glass

viejo, -a, old, ancient; *n. m.* old man, elder, ancestor; *n. f.* old woman

viejón, -ona, rather old

vientecillo, slight breeze

viento, wind

vientre, *m.* abdomen, belly

vigía, lookout

vigilancia, watchfulness

violencia, violence

violentar, to do violence to, in-

crease the violence of; —se, to become violent, flare up

violento, -a, furious, violent; angry; wild; sudden, quick, hurried

virar, to veer, twist

viruela, smallpox

visiblemente, clearly, obviously

visita, visit

visitante, *m. and f.* visitor

visitar, to visit

vista, sight, view; a la —, before, in the presence; in sight; dirigir la —, to look; en — de (que), because of, in view of the fact that

vistazo, glance

visto, -a, seen; ser bien —, to be looked upon favorably

víveres, *m. pl.* provisions, food

vivir, to live, dwell

vivo, -a, bright, gay

vocabulario, vocabulary

vocerío, murmur

vocero, spokesman

vociferar, to shout

volador, -ora, winged; *n. m.* * flier; *see* Notes, 9, 2

volar, to fly

volátil, *m.* flying creature

volcánico, -a, volcanic

voltear, to turn over

voltereta, whirl, twisting and turning; dar una —, to tumble head foremost

voluntad, will; hacer —, to exert one's will

volver, to return; — a + *infin.*, again; —se, to turn

voto, vow, statement

voz, *f.* voice; cry, shout; **dar voces,** to shout

vuelo, flight, flutter; **en sus —s colectivos,** flying together

vuelta, turn; loop; swoop; trip; **dar —s,** to turn

vulgar, common, ordinary

X

xochipitzahua, *m.* (*Ind.*) little flower dance

Y

y, and

ya, already; now; once; later; then; soon; all in good time; **— no,** no longer, not again

yoloxóchitl, *m.* (*Ind.*) flower of the heart

yunta, team, yoke of oxen

Z

zacamandú, *m.* (*Ind.*) sheaf dance

* **zacate,** *m.* hay; forage, fodder; grass thatch

zanca, leg

zancada, stride; **a (grandes) —s,** with long strides, by leaps and bounds

zancudo, mosquito

zona, zone

* **zopilote,** *n. m.* turkey buzzard

zorra, fox

zumbar, to hum, whir; *n. m.* droning, murmur